€1.90

D0335125

Anne & Anne

Eerste druk, februari 2009, Leopold
Tweede druk, november 2010, Free Musketeers
© 2010 Greet Beukenkamp

Omslagfoto: Mark Sassen
Foto achterplat: Marianne Beukenkamp
Omslagontwerp: Petra Gerritsen

www.greetbeukenkamp.nl

ISBN: 9789048416066
NUR: 283, 284

Uitgever: Free Musketeers, Zoetermeer
www.freemusketeers.nl

Anne & Anne

GREET BEUKENKAMP

Eerder verschenen:

Ontvoerd
Al het water van de zee
Teruggaan kan niet meer
Het jaar van de heks
Mist
Tegen mijn wil
Zoeken naar Lisa

I

De auto van Bas zoeft over de A12. Natuurlijk weer ver boven de maximumsnelheid. Anne wil er net iets over zeggen als Bas gas terugneemt. Ze naderen de afslag Zeist. Even later schiet hij met een vloeiende beweging de afrit op. Aan het eind ervan springt het stoplicht juist op rood.

Anne kijkt of ze iets van de omgeving herkent. De laatste keer dat ze hier is geweest, is twee jaar geleden. Ze was toen samen met haar vader voor een van de schaarse bezoekjes aan haar oma. Anne kan zich haar niet zo goed meer herinneren, alleen dat ze een beetje bazig was.

Haar gedachten worden onderbroken door de stem van haar moeder. 'Heb je er nog aan gedacht om die laatste verhuisberichten op de post te doen?'

'Ja, dat heb ik gisteravond nog gedaan,' antwoordt Bas.

Annes moeder doet het raampje een eindje open. 'Laten we morgen vooral niet vergeten om de meterstanden op te nemen,' zegt ze.

Anne luistert met een half oor naar hun zachte gepraat. Verhuizen... Het is allemaal de schuld van Bas. Als hij niet in hun leven was gekomen, had ze nog gezellig met mam in de flat gewoond. Ze kijkt even naar Timmie die naast haar in zijn Maxi-Cosi zit. Hij slaapt. Naast hen op de baan voor rechtsaf staat een auto met een ouder echtpaar erin. De vrouw glimlacht naar haar. Anne glimlacht flauwtjes terug. Ze zien er schijnbaar uit als een gelukkig gezinnetje op weg naar huis. Die vrouw moest eens weten...

Het stoplicht springt op groen. Bas trekt op en slaat linksaf onder de A12 door. Veel te snel natuurlijk weer, want Timmies hoofdje rolt met een zwiep naar rechts. Zijn oogjes gaan verbaasd open.

'Kan het ook wat rustiger?' zegt Anne kribbig. 'Nou is Timmie wakker.'

'Die moet toch wakker worden,' zegt Bas. 'Over tien minuten zijn we er.'

'Dat zal best,' sniert ze. 'Je rijdt gewoon veel te hard. Op de snelweg zat je ook ver boven de honderd. Ik heb er niets van gezegd, maar ik zou graag levend aankomen.'

'Overdrijf niet zo, Anne,' zegt haar moeder vermanend.

'Ik overdrijf niet!' roept Anne. 'Bas moet altijd harder dan een ander, want dan zien ze die poenige auto van hem ten minste.'

Haar moeder draait zich om. 'En nou is het afgelopen!' roept ze boos. 'Ik wil het graag gezellig houden!'

Timmie begint te huilen.

'Dat komt er nou van,' foetert ze verder. Ze zoekt nijdig in haar tas en haalt er een rol koekjes uit. 'Geef hem er hier maar een van, dan wordt hij wel weer stil.'

Zonder iets te zeggen neemt Anne de rol aan en pakt er een koekje uit. Mam doet altijd of het haar schuld is. Als Bas niet zo hard de bocht door was gegaan, was Timmie niet wakker geworden en dan was die hele toestand niet ontstaan.

Ze houdt Timmie het koekje voor. Hij lacht door zijn tranen heen, pakt het beet en begint er tevreden op te sabbelen. Anne kijkt hoe hij het naar binnen werkt.

Als hij het op heeft, buigt ze zich naar hem over en drukt haar gezicht tegen zijn mollige lijfje. Ze maakt er een proestend geluidje bij. Schaterend grijpt Timmie zich vast aan haar haren. Het doet gemeen pijn. Ze maakt voorzichtig zijn handjes los en terwijl ze de natte koekkruimels uit haar haar vist, kruisen haar ogen in de achteruitkijkspiegel die van Bas. Snel wendt ze haar blik af. Ze gaat weer recht zitten en kijkt met opeengeklemde lippen naar buiten. Ze rijden nu over een tweebaansweg waar links en rechts verscholen tussen het groen grote villa's staan. Over een paar dagen woont ze hier. Anne heeft hun nieuwe huis nog niet gezien. Haar moeder wel.

'Het is groot en oud,' vertelde ze toen ze de eerste keer terugkwam uit Zeist, 'maar heel apart. Ik denk dat jij het ook wel mooi zal vinden. Maar voordat we erin kunnen moet het wel eerst grondig gerenoveerd worden. Bas heeft al met een aannemer gesproken. Hij kan volgende week beginnen, dus dan kunnen we in de grote vakantie verhuizen.'

Anne had gedaan of het haar niet interesseerde. Haar mening werd toch niet gevraagd.

Opeens voelt ze dat de auto afremt. Voor hen zijn stoplichten. Maar Bas neemt de baan voor rechtsaf. Ze kunnen meteen doorrijden. Links staan allemaal grote oude huizen langs een soort ventweg. Zou het hier zijn? Maar ze rijden door.

Anne laat zich terugzakken tegen de rugleuning en kijkt broeierig naar Bas' rug.

Twee jaar geleden was hij opeens hun leven binnengestapt. Eerst had ze nog gedacht dat het iets tijdelijks was, maar al gauw was het duidelijk: Bas was een blijvertje. Waarom moest hij zo nodig hun harmonie verstoren? Ze hadden het toch altijd gezellig gehad met z'n tweetjes op hun flat in Den Haag?

Na een half jaar waren ze bij Bas ingetrokken en kort daarop was haar moeder met hem getrouwd. Precies negen maanden later werd Timmie geboren. Hij was het enige lichtpuntje te midden van alle spanningen.

Maar een halfjaar geleden werd alles opeens wéér anders. Bas had een andere baan aangenomen. Hij zou in Utrecht gaan werken. Bij een of ander advocatenkantoor met een dure naam die ze niet kon onthouden. Eerst reisde hij gewoon op en neer, maar na een poosje begon hij te zeuren over de afstand die hij elke dag moest rijden en over het verkeer tussen Den Haag en Utrecht dat steeds drukker werd. Anne zag het al aan komen: Bas wilde verhuizen. Haar moeder opeens ook. Ze wilde al langer weg uit Den Haag, zei ze.

Anne zucht. Mam had haar bezwaren gewoon weg gewuifd. Samen waren Bas en zij naar huizen gaan kijken en opeens was er dat huis in Zeist. Ze konden over niets anders praten.

Haar moeder had een paar keer gevraagd of ze meeging, dan kon ze zien hoe het werd en dan kon ze haar nieuwe kamer bekijken. Maar ze had telkens een andere smoes gehad: ze had een hele berg huiswerk, ze had afgesproken om met Marit en Eline naar het strand te gaan, ze had oma en opa beloofd langs te komen, ze moest hoognodig naar de kapper…

Ze bekeken het maar. Het was al erg genoeg dat ze weg moest uit haar vertrouwde omgeving, weg van haar vriendinnen, weg van school. Ze had het net zo naar haar zin op het Haags Montessori Lyceum. Elke dag fietste ze er samen met Marit en Eline naar toe. Ze waren alle drie overgegaan naar de tweede. En nu moest ze naar die nieuwe school, helemaal in haar eentje. Het was toch wel een beetje stom geweest om niet een keer mee te gaan naar Zeist. Nu had mám haar maar opgegeven bij het Herman Jordan Lyceum. Op internet had ze gezien dat het ook een montessorischool was en dat gaf haar een beetje hoop.

De auto mindert weer vaart. Ze rijden een rotonde op en slaan linksaf. Narrig kijkt Anne naar de huizen die voorbij schuiven. Het heeft hier wat weg van de buurt in Den Haag waar haar vader woont. Ze kijkt naar het armbandje dat ze pas nog van hem heeft gehad en draait het rond om haar pols. Pap zal ze nu ook veel minder vaak zien. Ze zal niet meer even bij hem aan kunnen wippen.

'Je kunt toch om de veertien dagen een weekeindje bij ons komen logeren?' stelde hij laatst nog voor.

'Ik zie wel,' had ze geantwoord.

Ze moest er niet aan denken om een heel weekeind aardig te moeten doen tegen Suzan. Van haar moeder wist ze dat Suzan vroeger paps secretaresse was geweest en dat zij hem indertijd van hen had afgepikt. Dat vergaf ze haar nooit. Daarom ging ze meestal bij haar vader langs als Suzan er niet was. Maar soms was ze er toch. Suzan deed dan altijd poeslief tegen haar. Ze vroeg of ze bleef eten, ze stelde voor om samen een middagje te gaan winkelen. Ze had zelfs een keer gevraagd of ze met hen mee op vakantie ging. Maar Anne keek wel mooi uit.

Plotseling voelt ze de auto weer afremmen. Ze stoppen voor een groot huis.

'Gaan we hier wonen?' Anne kan de bewondering in haar stem niet onderdrukken.

'Ja, vind je het mooi?' Bas draait zich naar haar om.

Ze ontwijkt zijn blik. 'Het is groot,' zegt ze alleen.

Haar moeder wijst naar de ramen op de eerste etage. 'Achter dat raam links is jouw kamer,' zegt ze.

Anne stapt uit en kijkt nors naar boven. Als ze maar niet wéér elke avond haar moeder en Bas hoeft te horen. Mam mag dan beweren dat er een hele rij inbouwkasten tussen hun slaapkamer en die van haar zit, maar dan nog… Ze had de zolderkamer willen hebben, maar die wilde Bas. Hij had daar zijn studeerkamer gepland, zei hij. Die man begreep ook niets.

'Help jij even de gordijnen naar binnen dragen?' onderbreekt hij haar gedachten.

'Moet ik ook helpen met ophangen?' vraagt ze stroef.

'Nee, dat hoeft niet,' antwoordt hij. 'We hebben toch maar één keukentrap. Maar misschien wil je die in je eigen kamer wel zelf ophangen.'

'Mij best,' mompelt ze.

Terwijl haar moeder de Maxi-Cosi met Timmie uit de auto tilt, loopt Anne met een zware doos vol gordijnen naar de voordeur. Bas zet zijn doos op de grond en steekt de sleutel in het slot. De deur zwaait open.

'Trara,' roept hij triomfantelijk.

Ondanks dat Anne zich aan hem ergert, kijkt ze bewonderend naar de ruime hal. Op de vloer liggen tegels in een ouderwets patroon. Achter twee glazen klapdeuren is een gang met een trap, waarlangs een versierde leuning naar boven loopt. Het doet haar denken aan het huis waar oma en opa vroeger woonden. Ze vindt het mooi, maar ze houdt stijf haar mond dicht.

'Mag ik mijn kamer gaan bekijken?' vraagt ze kortaf.

Bas knikt. 'Ja, hoor. Het is de deur recht tegenover de trap. Wij gaan intussen de gordijnen in de huiskamer ophangen.'

Anne is licht opgewonden als ze de trap opgaat. Ze is toch wel een beetje benieuwd naar haar nieuwe kamer. Volgens Bas is hij een stuk groter dan die in het appartement. Ze moet het nog zien.

Als ze de kruk naar beneden duwt en de deur opent, blijft ze verbijsterd op de drempel staan. Ze verwachtte een lege kamer, maar er staat van alles in. Tegen de muur rechts staat een ouderwetse kast en links ziet ze een slordig opgemaakt bed. Op vloer ligt een kleed met een blauwe rand. Wie heeft die oude troep hier neergezet? Ze laat haar ogen door de kamer gaan. Het lijkt of er een vage mist hangt, maar dat zal wel komen doordat de gordijnen gesloten zijn. Met afgrijzen kijkt ze ernaar. Wat een afschuwelijke kleuren. Ze zou toch nieuwe gordijnen krijgen?

Verbolgen stapt Anne de kamer binnen. Op hetzelfde moment valt haar oog op het bureautje onder het raam. Is dat niet dat oude ding dat vorig jaar naar de kringloopwinkel moest van Bas? Heeft hij het soms teruggehaald? Als hij maar niet denkt dat hij haar daar een plezier mee doet. Ze loopt erheen. Op het blad liggen kleurpotloden en een tekening van twee meisjes. Ze staan hand in hand en zijn gekleed in een soort prinsessenjurkjes. Ook ligt er een agenda. Van wie is die?

Net wil ze hem openslaan, als ze een geluidje hoort. Het komt bij het bed vandaan. Verschrikt ziet ze dat het dek beweegt. Het lijkt wel of er iemand onder ligt. Plotseling komt het omhoog en het slaperige gezicht van een meisje verschijnt. Annes mond zakt open. Het kind lijkt zo sprekend op haar dat het is of ze in een spiegel kijkt.

'Wie ben je en wat doe je hier?' vraagt het meisje.

Anne had precies hetzelfde willen vragen, maar het is of haar keel dichtzit. Wat is dit voor iets raars? Is dit echt of droomt ze? Die ingerichte kamer, dat bed en dat kind dat doet of ze hier hoort…

Het meisje slaat het dekbed van zich af. 'Ik vroeg wat je in mijn kamer doet?' herhaalt ze.

Anne is nog steeds te verbluft om te antwoorden.

Plotseling staat het meisje op. 'Ik wil dat je hier weggaat,' zegt ze boos.

Anne deinst achteruit. Ze tast met haar hand naar de deur. Dan staat ze in de gang. Net wil ze Bas roepen als ze ziet hoe het meisje langzaam doorschijnend wordt. Ook het bureautje achter haar en de gordijnen lijken langzaam te vervagen. Op dat moment slaat de paniek toe. Met een ruk draait Anne zich om en rent de kamer uit. Weg hier, is het enige dat ze kan denken.

Met twee treden tegelijk rent ze de trap af. Vanuit de huiskamer klinken de vertrouwde stemmen van haar moeder en Bas. In de deuropening blijft ze staan. Zal ze hen vertellen wat ze heeft gezien? En hééft ze eigenlijk wel iets gezien? Toen ze uit de auto stapten, hingen er geen gordijnen voor het raam van haar kamer, dat weet ze heel zeker.

Opeens komt Bas uit de serre de kamer in. 'Wat is er met jou?' vraagt hij als hij haar ziet. 'Je kijkt alsof je een spook hebt gezien.'

Anne verstrakt. Echt weer een opmerking voor Bas. Of zou hij gelijk hebben? Was het soms een spookverschijning? Dan krijgt ze een ingeving. Ze draait zich om en haast zich naar de voordeur.

'Hoe vond je je kamer?' roept Bas haar achterna.

Anne doet of ze hem niet hoort. Ze opent de voordeur en loopt het tuinpad af. Op de stoep draait ze zich om. De ramen van haar kamer weerspiegelen de hoge boom voor het huis. Er zijn geen gordijnen te zien. Toch waren ze er. En dat meisje was er ook.

Terwijl ze naar boven staat te kijken, ziet ze haar moeder naar buiten komen. Haar gezicht staat op onweer.

'Waarom geef je Bas geen antwoord?' vraagt ze nijdig. 'Hij verdient het niet dat je zo lelijk tegen hem doet. Hij heeft je een van de mooiste slaapkamers gegeven, hij heeft hem schitterend op laten knappen en nog ben je ontevreden. Wat is er mis met die kamer?'

Anne weet zo gauw niet wat ze moet zeggen.

'Nou?' vraagt haar moeder geïrriteerd.

'Er zit een meisje op mijn kamer,' gooit ze er opeens uit, 'en er staat allemaal oude troep in.'

Haar moeder kijkt haar ongelovig aan.

'Hoe kan dat nou? De werklui zijn net klaar met de verbouwing en Bas is eergisteren nog in het huis geweest om alles te contro…'

'Precies,' valt Anne haar in de rede. 'En toen heeft hij natuurlijk dat meisje binnengelaten en al die oude spullen daar neergezet.'

'Doe niet zo idioot. Bas laat toch niet zomaar een wildvreemde in huis?'

'En wie is dat kind dan op mijn kamer?'

'Ik hoop niet dat ons huis gekraakt is.' Anne hoort de bezorgdheid in haar moeders stem. 'Als er eenmaal krakers in zitten, krijg je die er niet zo makkelijk meer uit. Maar misschien is het alleen maar een zwerfster die onderdak zocht voor de nacht.'

'Zo zag het er niet uit.'

'Hoe dan ook, dat meisje moet eruit. Kom mee.' Annes moeder loopt terug naar het huis. Binnen steekt ze haar hoofd om de huiskamerdeur. 'Bas, loop je even mee? In Annes kamer…'

'Ik ben bezig,' valt Bas haar in de rede. 'Ik ben Timmie aan het verschonen. Hij heeft gepoept.'

Weifelend blijft ze een ogenblik staan, maar dan loopt ze resoluut de trap op. Anne volgt haar moeder op een veilige afstand. Met ingehouden adem ziet ze hoe mam de deur van haar slaapkamer opengooit.

'Was dat meisje hier?' vraagt ze.

'Ja.' Anne neemt de laatste paar treden en gluurt langs haar moeder de kamer in. Hij is leeg. De gordijnen, het bed, de kleerkast, alles is verdwenen. Evenals het meisje.

'Hoe kan dát nou?' mompelt ze. 'Zó gauw kan ze alles toch niet weggehaald hebben?'

'Wás het wel deze kamer?' vraagt haar moeder.

'Ja, ik ben toch niet gek?'

Terwijl haar moeder de andere kamers controleert, stapt Anne ongelovig haar eigen kamer binnen. Geen spoor van het meisje of van alle spullen die er stonden. De kamer is volkomen leeg en ruikt naar latexverf. Anne laat haar blik over de muren glijden. Ze zijn zachtgeel geschilderd, haar lievelingskleur. Ook de vloer is duidelijk nieuw. Het lichtbruine laminaat glanst in het licht dat door de ramen naar binnen valt.

'En? Heb je dat meisje nog gezien?' hoort ze haar moeder plagerig vragen.

'Ik… ik zal het me wel verbeeld hebben,' hakkelt ze.

Haar moeder slaat een arm om haar heen. 'Ja, dat denk ik ook. Het zal de spanning wel zijn van de laatste tijd.' Anne voelt hoe ze zacht over haar haren wordt gestreken en hoe er een kus op haar voorhoofd wordt gedrukt. 'Vind je je kamer mooi?'

Anne kan alleen maar knikken.

Haar moeder lacht tevreden. 'Zullen we je gordijnen dan maar uit de doos halen? Dan hangen we ze gelijk op en kunnen we zien hoe ze staan. Bas zal ook wel willen weten…'

'Je gaat het hem toch niet vertellen, hè?' valt Anne haar verschrikt in de rede.

'Wat? Dat je liever roze muren had gehad?' Haar moeder knipoogt. Anne glimlacht flauwtjes. 'Hè bah, roze,' zegt ze. 'Nee, het is prima zo.'

2

De dagen tot de verhuizing kan Anne het meisje maar niet uit haar hoofd zetten. Telkens ziet ze haar weer voor zich. Ze herinnert zich vooral hun sprekende gelijkenis. Maar misschien heeft ze het zich wel verbeeld. Of toch niet? Het was allemaal zo echt.

Haar moeder heeft het er niet meer over en zelf houdt ze ook haar mond maar. Eigenlijk durft ze er met niemand over te praten, zelfs niet met haar vriendinnen. Ze is bang dat ze haar niet zullen geloven en dat ze haar uit zullen lachen.

Hoe langer ze erover nadenkt, hoe meer ze tot de overtuiging komt dat ze toch iets heeft gezien. Misschien was het inderdaad een spook. Het is tenslotte een oud huis. Tot haar verbazing jaagt die gedachte haar geen angst aan. Integendeel, het maakt haar juist nieuwsgierig.

Maar als het nu eens geen spook was? Wie was dat meisje dán? Ze zat op die kamer alsof ze er hoorde. Misschien weten de buren wie het is. Volgens Bas wonen ze er al heel lang. Ze moet hen binnenkort maar eens vragen of er hiervoor soms een meisje heeft gewoond dat erg op haar lijkt. Misschien zijn ze wel verre familie van elkaar? Opeens houdt Anne haar adem in: of misschien zijn ze een tweeling, zonder het te weten. Anne bedenkt de meest fantastische verhalen over hoe ze elkaar uit het oog zijn verloren, maar als de dag van de verhuizing aanbreekt, krijgt ze het toch weer een beetje benauwd.

Om half acht gaat de wekker. Anne is meteen klaarwakker. Over een halfuur staat de verhuiswagen voor de deur. Dan moet ze zijn aangekleed, haar beddengoed moet in de doos zitten die naast haar bed staat en ze moet hebben ontbeten.

Er wordt op haar deur geklopt.

'Anne, ben je wakker?' hoort ze haar moeder roepen.

'Ja-ha,' antwoordt ze. Ze stapt haar bed uit en loopt naar de badkamer, maar daar staat Bas zich natuurlijk weer te scheren. Dan was ik me maar niet, denkt ze bozig. In het nieuwe huis heeft Bas ook een badkamer op zolder laten maken, weet ze. Zeker omdat hij last van haar had. Nou, zij dus ook van hem.

Hoewel Anne het zichzelf niet zal toegeven, kijkt ze toch wel een beetje uit naar haar nieuwe leven in Zeist. Het huis daar is in elk geval een hele verbetering. Het is veel groter en er is ook een tuin bij. Bovendien wordt het meer ingericht naar de smaak van haar moeder, met een nieuw bankstel en allerlei andere nieuwe spullen. Dit appartement ademt nog steeds de sfeer van Bas, ook al zijn ze ruim een jaar geleden bij hem ingetrokken. Met het zwart leren bankstel, de strakke donkere boekenkast en de rechthoekige glazen tafel heeft de zitkamer meer weg van een kantoor. In de flat waar ze vroeger woonden was het een stuk gezelliger. De meubels mochten dan misschien wat versleten zijn, maar zij en haar moeder waren er wel gelukkig. Maar nu Bas erbij is...

'Kom je ontbijten?' roept haar moeder van beneden.

'Ik kom eraan,' roept Anne terug. Ze schiet in haar gympen en loopt naar de trap. Vanuit de badkamer komt nog steeds het gezoem van Bas' scheerapparaat.

In de keuken is het ongezellig leeg. Alleen de keukentafel en de stoelen staan er nog. Op het aanrecht staat een stapel boterhammen en drie dampende mokken thee.

'Begin maar alvast,' roept Annes moeder vanuit de huiskamer. 'Ik ben nog het een en ander aan het inpakken.'

Anne had gehoopt even alleen met haar aan tafel te kunnen zitten. Ze had willen vragen wat er met haar oude bureautje was gebeurd. Straks zit Bas er weer bij en dan kan het niet meer. Ze pakt een boterham van de stapel en gaat met een mok thee aan tafel zitten. Tegenover haar staat Timmies lege kinderstoel. Hij is vandaag bij oma en opa. Ze mist hem, ze mist zijn hoge stemmetje dat altijd overal bovenuit komt. Even later hoort ze de zware voetstappen van Bas de trap afkomen. Bij de deur van de huiskamer staat hij stil.

'Wat zoek je, schat?' hoort ze hem vragen.

Anne kan het antwoord niet verstaan.

'Die doos heb ik gisteren achter in de auto gezet,' zegt Bas. 'Wees maar niet bang, ik garandeer je dat er niets breekt.'

Anne weet dat ze het over het antieke glasservies hebben dat nog van mama's overgrootmoeder is geweest. Vanuit de gang klinkt een kusgeluid. Staan ze nu alweer te zoenen? denkt Anne zuur.

Met een arm om elkaar heen komen ze een ogenblik later de keuken binnen. Anne pakt haar boterham en staat op.

'Ik moet nog even een paar dingen inpakken,' zegt ze.

'Goed hoor, lieverd,' antwoordt haar moeder.

Eenmaal op haar kamer weet Anne niet goed wat ze moet doen. Alles is al ingepakt. Vijf dozen met kleren, boeken en speelgoed staan opgestapeld tegen de kale muur. Ze is blij dat ze hier weggaat, ze heeft het hier nooit leuk gevonden. Waar haar vader woont is het veel gezelliger. Ooit heeft ze wel eens overwogen om bij hem te gaan wonen, maar ze weet zeker dat ze dan ruzie met Suzan zal krijgen. Gisteren is ze nog even bij hen langs geweest en natuurlijk begon Suzan meteen weer over de vakantie. Anne had het afgekapt met een smoes: de achtertuin van het nieuwe huis was een oerwoud en ze had mama beloofd te helpen met het op orde brengen ervan.

Beneden in de straat slaat de deur van een vrachtauto dicht en tege-lijkertijd klinkt de stem van haar moeder: 'Ze zijn er!'

Als Anne de trap afloopt, doet Bas net de voordeur open. Er komen twee breedgeschouderde mannen de hal in. Nee, ze willen geen koffie. Straks wel graag, als alles is ingeladen. Ze gaan meteen aan de slag. In een hoog tempo wordt de huiskamer leeggehaald: meubels worden naar buiten gedragen en verdwijnen in de hongerig openstaande muil van de vrachtwagen. Daarna volgen de dozen.

Anne heeft het gevoel dat ze in de weg loopt en vlucht de keuken in. Maar daar zijn de tafel en de stoelen ook al verdwenen. Daarom gaat ze maar weer naar haar kamer. Ze is nog maar net binnen als ze bekende stemmen hoort.

'Hoi,' roept ze naar beneden. 'Wat komen jullie doen?'

Eline komt lachend de trap op. 'Jóú geestelijke bijstand verlenen,' grapt ze.

'We dachten misschien te kunnen helpen met sjouwen,' zegt Marit, 'maar die twee bullebakken van verhuizers stuurden ons gewoon weg.'

Eline ploft neer op Annes bed. 'Nou ja, graag of niet.'

'Ik vind het hartstikke top dat jullie er zijn,' zegt Anne. 'Jullie moeten best vroeg zijn opgestaan, en dat in de vakantie.'

'Kan je nagaan wat we voor je over hebben.' Eline lacht.

'Ik zal jullie missen daar in Zeist.' Er schiet een brok in Annes keel waardoor de laatste woorden er wat geknepen uitkomen.

Eline merkt het niet, of doet alsof. 'Maar je gaat toch zo nu en dan naar je vader? Dan kunnen we toch iets afspreken?'

Anne knikt. 'Ja, dat is zo.' De spanning zakt wat weg. Als Suzan haar te veel op de nek zit, kan ze altijd nog naar Marit en Eline. Die zullen in elk geval blij zijn haar te zien.

Plotseling gaar de deur open en een van de verhuizers staat in de deuropening. 'We wilden aan deze kamer beginnen, dames,' zegt hij met een spottend lachje.

'Of we willen oprotten, bedoelt u,' zegt Eline.

'Dat soort woorden zal je me nooit horen gebruiken, jongedame,' zegt de man gemaakt bars. 'Mijn moeder heeft me netjes opgevoed.'

Eline giechelt. Een ogenblik later schuiven de drie meisjes langs hem de kamer uit.

Een uur later is het appartement leeg. In de keuken schenkt Annes moeder koffie in. De verhuizers drinken die tegen het aanrecht geleund op. Dan lopen ze naar de verhuiswagen en starten die. Meteen komen de buren naar buiten: het is tijd om afscheid te nemen. Er wordt uitgebreid handen geschud, er wordt gezoend en Anne omhelst Marit en Eline. Ze houdt haar tranen in.

'Kom, we moeten er nu echt vandoor,' zegt Bas. Hij houdt de deur van zijn auto open. 'We kunnen de verhuizers in Zeist niet voor een gesloten deur laten staan.'

'Huh,' mompelt Anne, 'dat zal heus niet gebeuren. Jij scheurt ze straks natuurlijk met een rotvaart voorbij.'

Bas grinnikt. Dan rijden ze weg. Anne zwaait tot een bus iedereen aan het zicht onttrekt. Nog geen kwartier later op de A12 halen ze de verhuiswagen in. Bas toetert. De chauffeur knippert met zijn lichten.

'Zo, we zijn weer lekker opgevallen,' moppert Anne.

Bas en haar moeder reageren niet, en daarom zegt Anne ook maar niets meer. Ze kijkt gedachteloos naar de auto's die ze passeren en naar het voorbij schuivende landschap. Als ze Zeist naderen, moet ze opeens weer aan het meisje denken op haar kamer. Zou ze er weer zijn? Aan de ene kant zou Anne dat wel spannend vinden, maar aan de andere kant is het toch ook wel een beetje eng.

Als ze uitstapt, gaat haar blik meteen naar het raam op de eerste verdieping. Erachter is het even donker als de vorige keer, maar dat is niet zo vreemd: de kamer ligt op het westen en de zon staat nog aan de andere kant van het huis.

Terwijl Bas en haar moeder druk bezig zijn om dozen, planten en andere kwetsbare spullen uit de auto naar binnen te dragen, gaat Anne ongezien de trap op. Voor haar kamerdeur blijft ze staan. Haar hart klopt in haar keel en ze voelt hoe ze begint te zweten. Doe niet zo idioot, spreekt ze zichzelf streng toe, je vond het daarnet nog zo spannend. Maar het helpt niet. Ze durft niet naar binnen te gaan, ze durft zelfs de deurkruk niet aan te raken.

Opeens hoort ze de voetstappen van Bas op de trap. Anne draait zich snel om en doet of ze net haar kamer uitkomt.

'En,' vraagt hij naar haar opkijkend, 'bevalt je nieuwe kamer je een beetje?'

Anne knikt.

'Eerst was het hier nogal somber, maar die gele muren doen het goed.' Bas neemt de laatste treden en staat dan naast haar. Voordat Anne het kan verhinderen, opent hij de deur. Anne verstijft. Als ze de kamer in kijkt, ziet ze dat hij leeg is. Aarzelend stapt ze achter Bas aan naar binnen. Geen spoor van het meisje, of van de wat armoedige inrichting.

Bas lijkt niets van haar verwarring te merken en praat opgewekt verder. 'Vanaf drie uur heb je hier zon. Dus als je je bureau daar onder het raam zet, kun je er fijn je huiswerk maken.'

'Ik kan niet werken met de zon in mijn gezicht,' zegt Anne stuurs. Ze loopt naar het raam en kijkt naar buiten.

Opeens klinkt er een geluid als van een voordeur die dichtgeslagen wordt.

'Was dat bij ons?' vraagt Bas.

Anne ziet een jongen de voortuin van de buren uit lopen. 'Nee hiernaast.'

Bas komt naast haar staan. 'Dat is een van de buurjongens,' zegt hij. 'Ze hebben er twee. Misschien wat voor jou?' Hij grinnikt.

Anne klemt haar lippen op elkaar. Echt weer een opmerking voor Bas. Waar bemoeit hij zich mee? Zwijgend kijkt ze de jongen na. Hij is lang en mager en heeft donker stekeltjeshaar. Helemaal haar type niet.

Bas, die haar ergernis moet hebben gevoeld, draait zich om. 'Ik ga maar eens kijken of ik je moeder ergens mee kan helpen,' zegt hij. 'De verhuizers zullen er zo wel zijn.' Zijn stappen verwijderen zich.

Anne blijft alleen achter. Meteen begint haar hart sneller te kloppen. Schichtig kijkt ze om zich heen. Ze ziet niemand en toch heeft ze het gevoel dat er iemand anders in de kamer aanwezig is, dat ze bekeken wordt. Zou er iemand in de kast zitten? Ze verzamelt al haar moed en rukt de deur open. Niemand. Achter de gordijnen dan misschien? Ze trekt het rechtergordijn naar voren. Niets. Ook het linkergordijn verbergt niemand.

Zou haar moeder dan toch gelijk hebben? Komt het door de spanning van de laatste tijd dat ze dingen ziet die er niet zijn? Is het allemaal verbeelding geweest?

Anne gaat in de vensterbank zitten en laat haar ogen door haar kamer dwalen. Bas heeft de kleur van de muren goed uitgekozen. Maar als hij nu denkt dat ze hem daardoor opeens aardig gaat vinden, heeft hij het mis. Ze begrijpt niet wat haar moeder in hem ziet. En als hij nu nog knap was... Maar hij begint al kaal te worden en zijn buik hangt over zijn broekriem. Bovendien is hij tien jaar ouder. Toen ze hoorde dat mam van hem in verwachting was, had het haar geschokt. Ze wist dat ze het met elkaar deden. 's Nachts had ze hen dikwijls genoeg bezig gehoord, alleen dat er een kind van zou komen...

Maar toen Timmie was geboren, werd het allemaal opeens anders. Anne is dol op het kleine mannetje. Wat was ze boos geworden, toen Eline een keer over hem had gesproken als haar stiefbroertje.

'Nou ja, halfbroertje dan,' had Eline toen verongelijkt gezegd.

'Timmie is gewoon mijn broertje,' had ze geroepen. 'Niks stief en niks half.'

Sinds gisteravond is Timmie bij oma en opa en ze mist hem nu al vreselijk. Morgenochtend gaan Bas en haar moeder hem ophalen. Ze zal blij zijn als...

Ze schrikt op van een luid getoeter in de straat beneden haar. De verhuizers, weet ze meteen. De twee deuren van de vrachtwagen zwaaien gelijktijdig open en de mannen springen eruit. Ze laten de laadklep omlaag zakken en even later ziet Anne de keukentafel voorbij komen, de keukenstoelen en een schemerlamp. Dan wordt haar bed de vrachtwagen uit gedragen. Ze kijkt om zich heen. Ze heeft er nog helemaal niet over nagedacht waar alles moet staan.

Als de twee mannen met het bed de kamer in komen, wijst ze automatisch op de hoek links naast het raam. Het is de plek waar ook het bed van het meisje stond, beseft ze opeens. Dan wordt haar bureau naar binnen gedragen.

'Waar moet dit staan?' vraagt een van de mannen.

Weifelend kijkt Anne om zich heen. Niet voor het raam. Ze wijst op de wand rechts ervan. Haar boekenkast laat ze voorlopig links naast de deur zetten.

Tien minuten later zit ze wat verdwaasd op de rand van haar bed. Dozen vol met van alles en nog wat staan kriskras door de kamer. Zal ze die alvast gaan uitpakken? Maar waar moet ze beginnen? Opeens krijgt ze weer dat rare gevoel bekeken te worden. Zo beheerst mogelijk staat ze op en loopt de kamer uit. Als er al iemand zit, dan wil ze niet dat die merkt hoe bang ze nu is.

3

Vanuit haar raam kijkt Anne de auto na. Bas heeft het weer voor elkaar. Hij weet altijd precies hoe hij haar moeder tegen haar op moet zetten.

Vanmorgen vroeg hij of ze even naar de bakker wilde gaan; het brood dat ze hadden meegenomen uit Den Haag rook muf. Ze had er weinig zin in, maar ze wilde geen ruzie. Toen ze de garagedeur opendeed om haar fiets te pakken, bleek dat ze er niet bij kon. Er stond van alles voor. Terug in de keuken zei Bas dat ze net zo goed kon gaan lopen; als hij eerst die fiets achter al die spullen vandaan moest halen, was hij een kwartier bezig. Bovendien was het niet zo ver naar de bakker. Toen ze wat tegensputterde, zei hij iets dat haar woest had gemaakt: 'Je wilde toch een paar kilo afvallen voordat je naar je nieuwe school gaat? Nou, dan kun je daar nu mee beginnen: als je stevig doorloopt, ben je zo terug en dan verbrandt je gelijk een hele hoop calorieën.'

Ze was tegen hem uitgevallen. 'Waar bemoei je je je mee!' riep ze. 'Dat ik af wil vallen is míjn zaak! Ik maak zelf wel uit hoe ik dat doe!'

Haar moeder had het natuurlijk weer voor Bas opgenomen.

'Wees niet zo brutaal tegen Bas!' zei ze boos. 'Hij geef je alleen maar een goede raad.'

'Een goede raad?' Anne had Bas van onder tot boven opgenomen. 'Je hebt zeker nooit in de spiegel gekeken? zei ze schamper. 'Probeer eerst zelf maar eens af te vallen.'

Zonder een woord was Bas opgestaan en brood gaan halen. Met de auto! Ze had haar mond maar gehouden, want haar moeder was woest. Voor straf mocht ze niet mee Timmie ophalen.

Anne draait zich om en laat haar ogen door de kamer dwalen. Het is nog steeds een puinhoop. Gisteren heeft ze een paar dozen openge-maakt met de bedoeling ze alvast uit te pakken. Maar ze heeft alleen haar kleren in de kast gelegd. Aan de rest kwam ze niet toe. Eerst moet ze beslissen waar ze haar boekenkast wil hebben. Ze schuift hem door haar kamer, maar nergens staat hij naar haar zin. Tenslotte belandt hij weer naast de deur. Anne doet een paar stappen achteruit. Zo moet het dan maar. Ernaast is nog genoeg plaats voor de grote spiegel. Het kost haar heel wat inspanning om het zware ding op zijn plaats te zetten. Nu moet hij alleen nog worden opgehangen, maar ze vertikt het om het aan Bas te vragen. Ze probeert het later zelf wel. Ze laat de spiegel wat naar voren hellen. Tegen de achterkant zitten twee haken met tape vastgeplakt. En in de lijst zitten twee schroefogen. Daar hing hij natuurlijk aan. Maar hoe krijgt ze die haken in de muur? Met een hamer? En waar vindt ze die? Ze besluit te wachten tot haar moeder terug is.

Voorzichtig laat ze de spiegel tegen de muur terugzakken. Ze zet er een stapel boeken tegenaan om te voorkomen dat hij wegglijdt. Dan begint ze met het inruimen van haar boekenkast.

Een uurtje later zijn alle dozen uitgepakt en staan opgevouwen tegen de zijkant van haar bureau. Ze kijkt naar haar computer die in een wirwar van draden en snoeren erbovenop staat. Zal ze hem nog aansluiten? Met een zucht laat Anne zich achterover op haar bed vallen. Ze heeft er nu geen zin in. Wat zal ze de rest van de dag doen? Zal ze Zeist in gaan? Het is nu mooi weer en ze is nog niet in het centrum geweest. Haar moeder en Bas zijn toch pas tegen het eind van de middag terug. Maar ze blijft liggen. Haar benen zijn zwaar en er maakt zich een grote loomheid van haar meester. Haar ogen vallen als vanzelf dicht.

Ze wordt wakker van iemand die iets tegen haar zegt. Met een ruk zit ze recht overeind. Midden in de kamer ziet ze het meisje weer staan. Anne doet haar mond al open om haar moeder te roepen, maar op hetzelfde moment realiseert ze zich dat er niemand thuis is.

'W...wat moet je hier?' stamelt ze angstig.

Het meisje kijkt weifelend om zich heen. 'Ik kwam de rest van mijn spullen halen,' zegt ze.

'Ik heb jouw spullen niet gezien,' zegt Anne. 'Trouwens, wat doe je hier nog in huis?'

'Ik woon hier.'

'Hoe kan dat nou?' zegt Anne. '*Ik* woon hier nu.'

'Sinds wanneer?'

'Sinds gisteren.'

Het meisje trekt haar wenkbrauwen op. 'Ik woon hier al bijna tien jaar.' Ze wijst naar het bureau en het bed. 'Zijn die spullen allemaal van jou?' vraagt ze.

Anne knikt.

'En wat doen die dozen daar?'

'Die zijn van de verhuizing. Die moeten naar de garage.'

Ze kijken elkaar een poosje zwijgend aan.

'Waar kom je eigenlijk vandaan?' vraagt het meisje.

'Uit Den Haag.'

'Daar hebben wij vroeger ook gewoond.'

Opnieuw valt er een stilte.

'Je kan hier niet blijven,' gaat het meisje opeens verder. 'Dit huis is van ons.'

Annes angst is opeens verdwenen. Wat een brutaliteit, denkt ze, ik laat me niet zomaar van mijn kamer verjagen. Ze staat op. 'Wij hebben dit huis gekocht,' zegt ze verontwaardigd. 'Het is dus van ons. Je krijgt mij hier niet weg.'

'Je zal wel moeten,' zegt het meisje, 'want zaterdag wordt deze kamer geschilderd en behangen. Dan moet alles…'

'Dat is toch helemaal niet nodig?' valt Anne haar in de rede. 'Alles is net geschilderd.'

Het meisje laat haar blik door de kamer glijden. 'Het is wel mooi geworden,' zegt ze. 'Mijn zusje zal er wel blij mee zijn en mijn vader ook. Hij hoeft er niets meer aan te doen.'

Anne kijkt haar verbijsterd aan. Woont de familie van het meisje hier ook? Ze begrijpt er niets meer van. Als een huis verkocht is, moeten de vorige bewoners er toch uit zijn?

'Ik krijg een andere kamer,' gaat het meisje verder, 'maar die is lang zo mooi niet.'

'Waarom ga je dan toch naar die andere kamer?' wil Anne weten.

'Omdat mijn zusje een grotere kamer nodig heeft.' Het meisje slaat haar ogen neer. 'Trouwens, ik wilde het zelf.' Ze aarzelt. 'Ik ben me rot geschrokken toen jij vorige week ineens in mijn kamer stond,' bekent ze plotseling. 'Ik heb sindsdien geen oog meer dichtgedaan.'

'En wat dacht je van mij?' zegt Anne. 'Ik ben me ook rot geschrokken toen jij zo plotseling onder dat dekbed te voorschijn kwam. Ik ben nog nooit zo snel een trap afgerend.'

'Dus je bent toch naar beneden gegaan.'

'Ja. Hoezo?'

'Dan moet je mijn vader zijn gepasseerd.'

Anne fronst. 'Ik heb niemand gezien.'

'Mijn vader jou ook niet. Hij geloofde me niet toen ik het vertelde. Hij moest er zelfs om lachen en zei dat ik het gewoon gedroomd had. Maar toen ik 's avonds naar bed moest, was ik doodsbang dat je opeens weer in mijn kamer zou staan. Toen heb ik aan mijn vader gevraagd of ik de zolderkamer mocht.'

'De zolderkamer?' roept Anne. 'Maar daar zit Bas. Hij heeft er zijn werkkamer. Al zijn spullen staan er.'

'Op die grote kamer boven?' vraagt het meisje. 'Vanmorgen stond er nog niets. De kamer was helemaal leeg.'

Anne begint er steeds minder van te begrijpen. Misschien droom ik dit allemaal wel, denkt ze opeens. Ze lag ten slotte op haar bed. Zonder dat het meisje het kan zien, zet ze haar nagels stevig in haar arm. Het doet gemeen pijn.

'Ik ben de hele morgen bezig geweest met het naar boven sjouwen en op zijn plaats zetten van al mijn spullen,' gaat het meisje verder. 'Nu kwam ik de laatste paar dingen ophalen. Er stond hier een doos met kleren en ook mijn gordijnen lagen hier nog. Waar heb je die gelaten?'

'Die heb ik niet gehad,' antwoordt Anne.

'Maar waar zijn ze dan?'

'Hoe weet ik dat nou.'

Het meisje kijkt weifelend om zich heen. 'Misschien heb ik ze toch al mee naar boven genomen,' mompelt ze.

Opnieuw valt het Anne op hoe sterk ze op elkaar lijken. Alleen draagt het meisje haar haar in een paardenstaart. 'Hoe heet je eigenlijk?' vraagt ze in een opwelling.

'Anne.'

Ongelovig kijkt Anne haar aan. 'Je maakt zeker een grapje,' zegt ze.

'Hoezo? Zo'n gekke naam is dat toch niet? Ik ben gewoon vernoemd naar mijn oma.'

Annes mond zakt open. 'Ik ook,' zegt ze.

'Hoe heet jij dan?'

'Ook Anne.'

Verbijsterd staart de andere Anne haar aan. 'Dat is ook toevallig,' zegt ze. 'We lijken dus niet alleen op elkaar; we hebben ook nog dezelfde naam.'

Opeens krijgt Anne een ingeving. 'Hoe oud ben jij?' vraagt ze.

'Dertien,' antwoordt de andere Anne.

'Ik ook,' zegt Anne. 'Ik ben vorige maand dertien geworden. En jij?'

'Ik ook.'

Anne houdt haar adem in. 'Op welke datum ben jij dan jarig?' Ze weet het antwoord eigenlijk al.

'Op zeven juni.'

'Ik ook.' Annes stem klinkt schor. Ze weet opeens niet meer wat ze verder moet zeggen. Een hele tijd kijken ze elkaar aan.

'Zouden we soms tweelingen zijn?' vraagt de andere Anne opeens. 'We lijken sprekend op elkaar.'

'I…ik weet het niet,' stamelt Anne. 'Onze gezichten zijn hetzelfde, alleen ons haar zit anders. Jij hebt een paardenstaart en ik draag het los.' Onwillekeurig gaat haar hand naar een haarstreng die over de schouder van de andere Anne hangt, maar op het moment dat ze die verwacht aan te raken, voelt ze niets. Ze ontmoet geen enkele weerstand. Ongelovig tast ze verder; dan ziet ze hoe haar hand dwars door het gezicht van de andere Anne heen gaat. Met een gil draait Anne zich om en rent de kamer uit. Omkijken durft ze niet. Ze vliegt de trap af. Naar buiten, weg van hier, kan ze alleen nog maar denken.

Als ze bij de voordeur komt, krijgt ze hem niet meteen open. In paniek rukt ze aan de deurknop. Hoe kan dat nou? Doodsbang kijkt ze over haar schouder, maar ze wordt niet gevolgd. Dan ziet ze het schuifslot. Een ogenblik later slaat de deur met een klap tegen de gangmuur en half struikelend rent ze naar buiten. Bij het tuinhekje staat ze even stil. Waar moet ze heen? Linksaf? Rechtsaf? Wat maakt het uit? In elk geval weg van dat spookhuis. Want dat het er spookt, daar is ze nu zeker van. Ze zet er geen voet meer. In elk geval niet voordat haar moeder en Bas terug zijn. Ze slaat rechtsaf en begint weer te rennen.

Bezweet en buiten adem staat Anne vijf minuten later in een drukke winkelstraat. Zonder iets te zien loopt ze langs de etalages. Langzaam komt haar ademhaling tot rust. Voor een ijssalon blijft ze staan. Hè ja, een ijsje. Ze voelt in haar zak, maar herinnert zich tegelijkertijd dat haar portemonnee nog op haar bureautje ligt.

Ze slentert verder. Telkens moet ze aan het meisje op haar kamer denken. Ondanks dat ze het warm heeft, rilt ze bij de gedachte aan haar hand die dwars door dat gezicht heen ging. Het moet een spookverschijning zijn geweest.

Om aan iets anders te denken, gaat ze een kledingzaak binnen. Wat doelloos loopt ze tussen de rekken met zomerkleren door. Vanuit haar ooghoeken ziet ze dat ze in de gaten wordt gehouden door een man. Hij ziet eruit als een winkeldetective. Alsof ze van plan is iets te stelen! Verontwaardigd verlaat ze de winkel weer.

Terwijl ze verder loopt, ziet ze zichzelf weerspiegeld in de etalageruit van een meubelzaak. Verschrikt staat ze stil. Haar haar zit in de war en haar T-shirt is gekreukt. Ze ziet er niet uit. Dat komt natuurlijk omdat ze zo hals over kop is weggerend. Schichtig om zich heen kijkend haalt ze haar vingers door haar haar en probeert haar T-shirt glad te strijken.

Opnieuw gaan haar gedachten terug naar de griezelige gebeurtenissen op haar kamer. Ze lag op bed, toen dat enge kind opeens midden in haar kamer stond. Het zag er allemaal heel echt uit, toch zou het best kunnen dat ze het gedroomd heeft… Ze probeert zich te herinneren of ze geslapen heeft, maar ze weet het niet meer.

De hele verdere middag zwerft Anne door Zeist. Ze voelt zich verloren. Waren Marit en Eline maar hier.

Tegen vijven is ze flauw van de honger en heeft ze een vreselijke dorst. Als ze langs een caféterras loopt, ziet ze tussen een paar lege glazen een half leeg glas op een tafeltje staan. Blijkbaar heeft iemand het niet opgedronken. Zal ze het durven? Weifelend kijkt ze om zich heen. Op dat moment komt er een man naar buiten met een dienblad. Hij zet de glazen erop, haalt een dweiltje over het tafeltje en gaat weer naar binnen. Snel loopt Anne door. Dan besluit ze toch maar naar huis te gaan.

Als ze de straat in komt, ziet ze de auto van Bas voor het huis staan. Ze is nog nooit zo blij geweest dat hij er is. Terwijl ze naar de voordeur loopt, kijkt ze even schichtig omhoog. Achter haar raam is niets te zien. Daarom besluit ze voorlopig niets over de andere Anne te vertellen. Ze moet aanbellen, want ze heeft geen sleutel bij zich. Bas doet open.

'Waar ben jíj geweest?' is het eerste dat hij vraagt.

'Even de stad in,' antwoordt ze.

'Waar is je fiets dan?'

'Ik ben lopend gegaan.' Vanuit de huiskamer ziet Anne haar moeder aan komen. Een ogenblik later worden er twee armen om haar heen geslagen. 'Godzijdank dat je er bent! Ik was zo ongerust.'

Bas sluit de deur. Anne maakt zich los uit haar moeders omhelzing. 'Waarom?' vraagt ze een beetje kribbig.

'Omdat de voordeur openstond toen we thuiskwamen. We dachten dat er was ingebroken.'

Verschrikt kijkt Anne haar aan. Dat is waar ook. Ze is als een kip zonder kop het huis uit gerend zonder de voordeur achter zich dicht te doen.

'Toen ik je riep, gaf je geen antwoord,' gaat haar moeder verder. 'Ik raakte helemaal in paniek. Ik zag je al vastgebonden op je bed liggen met tape over je mond. Ik ben de trap op gevlógen, maar je was niet op je kamer. Daarna hebben Bas en ik het hele huis doorzocht. Je was nergens. We hadden geen idee waar je uithing, want je kent hier niemand. Ik wilde de politie al gaan bellen.'

'Waarom?'

'Ik was bang dat je was weggelopen.'

'Hoe kom je daar nu bij?'

'Nou ja… dat zou toch kunnen?'

Anne schudt geïrriteerd haar hoofd. 'Ik was gewoon even Zeist in.'

'Dan had je toch wel een briefje neer kunnen leggen?'

Anne haalt haar schouders op. 'Niet aan gedacht.'

'Maar hoe kan het dan dat de voordeur openstond?' vraagt Bas.

'Hoe weet ik dat nou?'

'Heb je hem wel goed achter je dichtgedaan?'

'Ja, natuurlijk. Maar toen hij dichtzat, kwam ik erachter dat ik mijn sleutels had vergeten. Daarom ben ik ook lopend gegaan.'

'Vreemd,' zegt Bas. 'Zou er dan toch iemand binnen zijn geweest?' Hij doet de deur weer open en laat zijn vingers over het hout glijden. 'Geen beschadigingen. En als het een inbreker is geweest dan hadden we toch iets moeten missen? Mijn computer staat er nog en volgens mij.'

'Mijn sieraden!' roept Annes moeder verschrikt. Ze haast zich de trap op. Een minuut later komt ze weer naar beneden. 'Nee, alles is er nog,' zegt ze.

'Ik denk dat de deur niet goed in het slot is gevallen,' zegt Bas, 'en dat hij daarna open is gewaaid. Gelukkig dat er niets is gestolen. Hier wonen ten minste nog eerlijke mensen.'

Anne ziet hoe hij haar moeder lachend in zijn armen neemt.

'Ik ben blij dat we uit Den Haag weg zijn,' gaat hij verder. 'Ik weet zeker dat we het hier naar onze zin zullen krijgen. Ik voel me hier nu al thuis.'

Anne kan het niet meer aanzien. Geërgerd loopt ze de trap op. Als ze de deur van haar kamer in het oog krijgt, blijft ze met een ruk staan. Hij zit dicht. Wie heeft hem gesloten? Zij in elk geval niet, daarvoor had ze veel te veel haast om weg te komen. Haar moeder misschien? Of…

Ze houdt haar adem in. Straks zit dat kind haar in haar kamer op te wachten. Opeens ziet ze dat Timmies deur op een kier staat. Met haar ogen strak op haar kamerdeur gericht neemt ze de laatste paar treden. Stel je voor dat hij opeens opengaat… Geluidloos schuifelt ze met haar rug langs het hekwerk boven aan de trap, schiet Timmies kamertje binnen en sluit de deur. Met een bonzend hart leunt ertegenaan. Het duurt een hele poos voordat het een beetje tot rust is gekomen. Dan loopt ze zachtjes naar Timmies bedje. Zijn handjes liggen tot vuistjes gebald naast zijn hoofd en de fopspeen is uit zijn mond gegleden. Hij slaapt diep.

Opeens stokt haar adem. Als dat spookkind zich maar niet aan Timmie vertoont. Hij zal zich een ongeluk schrikken. Of misschien juist niet...? Timmie zal denken dat zij het is. Hij zal zijn armpjes naar haar uitstrekken en tegen haar kraaien. Anne krijgt het steeds benauwder. Wie weet wat dat kind dan doet? Misschien loopt haar broertje wel gevaar. Hoe kan ze hem beschermen?

Ze loopt naar het raam en kijkt peinzend naar de tuin. Ze herinnert zich opeens wat ze tegen Suzan heeft gezegd: dat het een oerwoud was en dat ze haar moeder had beloofd haar te helpen hem op te knappen. Maar behalve wat onkruid tussen de stenen, ziet hij er verzorgd uit. Er hoeft nauwelijks iets aan gedaan te worden.

Plotseling hoort ze geblaf. Meteen daarop ziet ze een bal over het grasveld van de buren vliegen, gevolgd door een grote herdershond. Een jongen met warrig blond haar komt de tuin in en raapt de bal op die de hond voor zijn voeten laat vallen. Hij gooit hem opnieuw. Anne bekijkt de jongen nieuwsgierig. Het is een andere dan ze eerder heeft gezien. Hij lijkt jonger. Leuker ook. Een poosje kijkt ze naar zijn spel met de hond. Opeens blijft de jongen staan en richt zijn blik omhoog. Anne voelt zich betrapt. Verward steekt ze haar hand op in een soort groet. Op het gezicht van de jongen verschijnt een brede lach en hij groet op dezelfde manier terug.

4

Als Anne de volgende dag haar ogen opendoet, is het licht. Slaperig kijkt ze op haar wekkerradio. 10.45 geven de cijfers aan. Zo laat al? Ze is doodmoe, dus erg lang kan ze niet hebben geslapen.

Gisteravond had ze het naar bed gaan eindeloos gerekt, totdat haar moeder boos was geworden. Met lood in haar schoenen ging ze uiteindelijk naar boven.

Ze had al bijna een halfuur in de badkamer gezeten, toen haar moeder naar boven kwam omdat Timmie huilde.

'Lig je nu nog niet in bed?' had ze door de deur heen gevraagd.

'Nee, ik heb buikpijn,' had ze geantwoord.

'Ben je ongesteld geworden?'

'Nee-hee.'

Haar moeder had niet verder gevraagd. Anne hoorde hoe ze even later zachtjes tegen Timmie praatte. Het huilen werd minder. Ze was van de wc af gekomen en had in de spiegel boven de wastafel gekeken. Ze schrok van zichzelf. Haar gezicht was asgrauw. Als haar moeder haar zo zag... Het had haar op een idee gebracht. Ze zou zeggen dat ze zich niet lekker voelde en dat ze naar beneden ging voor een aspirientje. Misschien mocht ze dan op de bank liggen met een plaid over zich heen. Net deed ze de badkamerdeur open, toen haar moeder Timmies kamer uitkwam. Ze legde haar vinger tegen haar lippen en sloot zachtjes de deur.

'Zal ik jou ook eens ouderwets instoppen?' fluisterde ze. Zonder op een antwoord te wachten liep ze door naar Annes kamer.

Nee! wilde Anne roepen, maar er kwam geen geluid uit haar keel. Verstijfd van schrik zag ze haar moeder de kamer binnen gaan. Een ogenblik later verscheen haar hoofd om de deur. 'Kom je nou? Het is al bij half twaalf. Wij gaan ook zo naar bed.'

Schoorvoetend was Anne haar gevolgd. De kamer zag er heel gewoon uit, maar de gedachte dat ze hier straks alleen zou liggen maakte haar panisch.

'Ik ga nog even naar beneden, een aspirientje pakken,' zei ze.

'Laat mij dat maar doen.' Voordat Anne kon protesteren was haar moeder de kamer al uit. Als verlamd zat ze op de rand van haar bed en even later was haar moeder met het aspirientje en een glas water teruggekomen. Gedwee had ze het ingenomen.

Waarom had ze toen niet gewoon verteld wat er gebeurd was? Maar ze had gezwegen. Haar moeder had haar ingestopt en haar een kus gegeven. Toen het geluid van haar voetstappen op de trap was verstomd, had Anne met wijdopen ogen in het donker gelegen. Ze durfde er niet meer uit om haar lamp aan te doen. Ze durfde zich zelfs nauwelijks te bewegen. Hoe lang ze zo had gelegen wist ze niet meer, maar blijkbaar was ze toch ingedut.

Anne gaapt. Ze kan natuurlijk proberen om nog even te slapen, ze heeft vakantie, maar nu het licht is lukt dat toch niet meer. Ze laat haar ogen onderzoekend door haar kamer gaan. Hij ziet er weer heel normaal uit. Ze drukt de herinnering aan gisteren weg en besluit eruit te komen, maar net als ze haar benen uit bed wil steken, trekt ze ze snel weer terug. Stel je voor dat dat enge kind zich onder haar bed schuilhoudt en dat ze bij haar enkels wordt gepakt...

Het duurt even voordat ze voldoende moed heeft verzameld en opstaat. Voor de zekerheid gluurt ze onder haar bed. Niets.

Opgelucht gaat ze naar beneden. In de grote eetkeuken ligt een briefje op tafel. *Je sliep nog,* leest ze. *Ben boodschappen doen. Bas is naar zijn werk. Ben tegen half twaalf terug.*

Anne loopt naar de koelkast en schenkt zich een beker karnemelk in. Terwijl ze hem leegdrinkt kijkt ze de tuin in. Het is opnieuw mooi weer. Wat zal ze vandaag gaan doen? Zal ze een kijkje gaan nemen bij haar nieuwe school, of zal ze gaan winkelen? Maar alleen is er niet veel aan. Waren Eline en Marit maar hier. Opeens heeft ze een idee: als ze eens iemand te logeren vroeg... Dan hoeft ze ook niet alleen te slapen. Eline kan jammer genoeg niet, die is gisteren op vakantie gegaan. Maar Marit vertrekt woensdag pas. Als ze nu meteen opbelt, kan ze nog een paar dagen komen.

Anne zet haar lege glas op het aanrecht en loopt naar de huiskamer waar de telefoon staat. Als ze de deur opendoet, blijft ze verbijsterd staan. In de huiskamer staan heel andere meubels. Dan valt haar de vage mist op die er hangt. Nee, niet weer hè! kan ze alleen maar denken. Haar eerste impuls is om weg te rennen, maar net als ze de deur dicht wil trekken, ziet ze haar vader staan.

'Wat doe jij hier?' roept ze.

'Kijk maar niet naar de rommel,' zegt hij zonder haar aan te kijken. 'Ik heb nog geen tijd gehad om op te ruimen.'

Anne fronst. Opruimen? Haar vader woont hier toch niet?

'Ik heb Sanne eerst naar school gebracht,' gaat hij verder, 'en ik moest hoognodig iets aan de administratie doen en…'

'Geeft niets, hoor schat,' klinkt opeens een vrouwenstem vanuit de andere kant van de kamer.

Anne doet de deur verder open. Bij het raam staat een vrouw als een silhouet tegen het licht dat naar binnen valt. Even denkt Anne dat het Suzan is, dan ziet ze dat ze heel ander haar heeft. Zei ze schat tegen pap? Verbijsterd ziet ze hoe haar vader de vrouw een kus geeft, terwijl hij haar jas aanneemt.

'Ik hang hem wel even weg,' zegt hij. Met de jas over zijn arm draait hij zich om. Anne kijkt hem afwachtend aan. Nu zal hij wel met een verklaring komen: wie die vrouw is en wat hij hier komt doen. Maar hij lijkt haar niet te zien en komt recht op haar af. Als ze niet vlug een stap opzij had gedaan, was hij zo tegen haar op gelopen. Hij passeert haar rakelings. Een ogenblik later komt hij de kamer weer in.

'Zou je me nu eindelijk eens willen vertellen waarom je hier naartoe bent gekomen?' vraagt ze nijdig, maar haar vader loopt langs haar alsof ze niet bestaat.

'Heb je zin in koffie?' vraagt hij aan de vrouw.

'Ja, heerlijk. Daar ben ik wel aan toe na die lange rit,' antwoordt ze.

'Dan ga ik het even zetten.'

'Ik loop met je mee,' zegt de vrouw. 'Ik heb je de hele week niet gezien.'

Terwijl ze samen de kamer uit lopen, probeert Anne het nog eens: 'Hallo! Ik sta hier! Contact!' roept ze, maar ze negeren haar volkomen. Verbluft kijkt Anne hen na. Wie is die vrouw en wat moet ze van pap? Hij is toch met Suzan getrouwd? Of zou die hier niets van weten?

'Wat kom jij hier doen?' klinkt het opeens vanuit de serre.

Aarzelend loopt Anne erheen. In een van de twee rieten fauteuils ziet ze de andere Anne zitten. Tegen haar opgetrokken knieën leunt een boek.

'Ik wilde een vriendin bellen,' antwoordt ze. Ze kijkt om naar de plek waar hun telefoon altijd staat, maar ze ziet alleen een boekenkast die ze niet kent. Ook de rest van de kamer is anders.

Vanuit de keuken komt gedempt de stem van haar vader. De vrouw geeft antwoord.

'Zag jij dat zonet ook?' vraagt Anne verbouwereerd. 'Ze deden gewoon of ik lucht was.'

'Volgens mij hoorden ze je echt niet,' antwoordt de andere Anne.

Anne schudt haar hoofd. 'Ik begrijp het niet,' zegt ze. 'Mijn vader doet anders nooit zo.'

'Mijn vader?' zegt de andere Anne. 'Dat was *mijn* vader!'

Anne begrijpt even niet wat ze bedoelt. Dan voelt ze zich boos worden. 'Hoe kom je daar nu bij?' roept ze. 'Ik zal mijn eigen vader toch wel kennen?'

De andere Anne klapt haar boek dicht. 'Het is míjn vader, ik weet het zeker. Ik ben toch niet gek?'

'Ik ook niet,' zegt Anne. Ze kijken elkaar een poosje wantrouwig aan.

'Misschien lijken jouw vader en de mijne gewoon op elkaar, net als wij,' oppert de andere Anne opeens.

'Dat zou dan wel héél toevallig zijn,' zegt Anne koppig. Op dat moment klinkt er een kirrend lachje uit de keuken. 'Wie is die vrouw eigenlijk?' vraagt ze.

'Dat is Paula, de vriendin van mijn vader.'

Anne fronst. 'Zijn je ouders dan gescheiden?'

De andere Anne zucht diep. 'Nee, mijn moeder leeft niet meer.'

'O.' Anne weet even niet wat ze moet zeggen. 'Wat naar voor je.'

De andere Anne glimlacht verdrietig. 'Het is lang geleden gebeurd, hoor,' zegt ze. 'Ik heb haar niet echt gekend.'

Anne komt aarzelend wat dichterbij. Ze zou iets troostends willen zeggen, maar ze weet niet wat. 'Mijn ouders leven nog wel, maar ze zijn gescheiden,' zegt ze daarom maar. 'En dat is ook al heel lang geleden.' Ze luistert naar de stemmen uit de keuken. Hoe kan het dat iemand zo op haar vader lijkt? Maar misschien heeft ze zich toch vergist. Het haar van de man leek wat grijzer en ook waren er lijnen in zijn gezicht die haar vader niet heeft.

'Bij wie woon je?' vraagt de andere Anne opeens.

'Bij mijn moeder,' antwoordt Anne.

'En Bas, is dat je broer? Die naam noemde je gisteren.'

'Nee, Bas is mijn stiefvader,' legt Anne uit. 'Timmie is mijn broertje.'

'Dus je moeder is hertrouwd,' stelt de andere Anne vast.

Anne knikt.

'Zie je je echte vader nog wel eens?'

Ja, daarnet toch nog, wil Anne zeggen, maar ze slikt de woorden in. Ze weet niet meer wat ze ervan moet denken. De hele situatie is zo absurd dat ze niet beter weet te doen dan zich zo normaal mogelijk gedragen. 'De laatste tijd niet zo vaak meer,' antwoordt ze daarom. 'En nu we niet meer in Den Haag wonen, zal het nog wel minder worden. Vroeger woonde mijn vader niet zo ver bij ons vandaan, maar toen we bij Bas introkken, was het wel een half uur met de bus. De laatste weken had ik het ook heel druk met school. Proefwerkweek, toneel, schoolkamp... En toen kwam ook nog de verhuizing.'

De andere Anne knikt begrijpend. 'En toen je mijn vader zag, dacht je dat het jouw vader was, die je hier kwam opzoeken.'

Anne knikt. Wat de andere Anne zegt klinkt logisch. 'Ik vond het al zo raar dat hij niet reageerde toen hij mij zag,' zegt ze. 'En ik begreep ook niet wat die andere vrouw hier deed.'

'Paula bedoel je?'

'Ja. Mijn vader is namelijk met Suzan getrouwd.'

'Zie je wel. Dat is het bewijs dat het jouw vader niet is.'

Anne weet daar niets tegenin te brengen, maar opeens krijgt ze een ingeving. 'Hoe heet jouw vader eigenlijk?' vraagt ze.

'Peter.'

'Hè?' roept Anne verbaasd uit. 'De mijne ook.' Op dat moment hoort ze de voordeur opengaan. Tegelijk klinkt het gebrabbel van Timmie. 'Daar heb je mijn moeder,' zegt ze. Meteen staat ze op. Dit is haar kans om te laten zien dat het meisje echt bestaat. 'Mam!' roept ze. 'Kom eens gauw kijken!'

'Nu niet, Anne.' Vanuit de gang komt een metalig schurend geluid. 'Kom liever even helpen.'

Anne haast zich de kamer uit. Haar moeder is bezig de met boodschappen volgeladen wandelwagen van Timmie over de drempel te duwen, maar het lukt haar niet.

'Laat mij maar even,' zegt Anne. Ze pakt de wandelwagen bij het voetensteuntje en trekt hem over de drempel naar binnen. Meteen loopt ze door naar de huiskamer. 'Kom je nu kijken?' vraagt ze.

'Straks, Anne. Eerst de boodschappen. Er zitten diepvriesspullen bij.' Haar moeder duwt de wandelwagen langs haar naar de keuken. Daar haalt ze de boodschappen uit het mandje en legt ze op het aanrecht.

Ongeduldig staat Anne ernaar te kijken.

'Leg jij dit even in de vriezer?' Haar moeder duwt haar een pak doperwtjes en een doos met ijslolly's in haar handen.

Anne stopt ze snel in een van de laden. 'Kom je dan nu mee?' vraagt ze.

'Wat is er zo belangrijk dat het niet even kan wachten?'

'Dat zal je wel zien.'

Haar moeder zucht. Dan tilt ze Timmie uit de wandelwagen en loopt achter Anne aan naar de huiskamer.

Zodra Anne de deur opendoet, ziet ze het al: alles is weer normaal. Meteen loopt ze door naar de serre. Ze heeft nog een vage hoop dat de andere Anne daar zit.

'Wat wilde je me nu eigenlijk laten zien?' vraagt haar moeder vanuit de deuropening.

'Dat meisje!' Speurend kijkt Anne om zich heen, maar er is niemand.

'Je bedoelt toch niet dat meisje dat je laatst op je kamer hebt gezien?'

'Ja, die. Ze was hier net nog!'

Haar moeder zet Timmie in de box. Dan komt ze naar Anne toe en slaat een arm om haar heen. 'Voel je je dan zo alleen?' vraagt ze zacht.

Anne is even sprakeloos. 'Wat bedoel je?' vraagt ze dan.

'Precies wat ik zeg. Dat je je alleen voelt. Ik merk het aan alles. Je mist je vertrouwde omgeving, je mist je vriendinnen. Het is dan ook helemaal niet zo vreemd dat je een vriendinnetje hebt bedácht. Dat je...'

Anne schudt de arm van haar moeder af. 'Ik heb helemaal geen vriendinnetje bedacht,' zegt ze beledigd. 'Ze was hier in de kamer. Ik heb met haar gepraat.'

'Dat geloof ik heus wel,' zegt haar moeder sussend. 'Zo'n gefantaseerd vriendinnetje kan heel echt lijken, maar...'

'Ze wás echt!' roept Anne. Terwijl ze het zegt, voelt ze meteen weer twijfel. Dat wat ze daarnet heeft meegemaakt was toch wel heel vreemd.

'Ja, zo kan het er inderdaad uitzien,' gaat haar moeder verder. 'Maar je fantasie speelt je gewoon parten, lieverd. Zoiets kan gebeuren als je een beetje in de knoop zit met jezelf en je niemand hebt om mee te praten.'

'Ik zit helemaal niet in de knoop met mezelf!' roept Anne boos.

'Laten we dan zeggen dat je het niet gemakkelijk hebt gehad het afgelopen jaar. Er is in korte tijd zoveel veranderd in je leven.'

'Ja, en door wie zou dat nou zijn gekomen?' Anne hoort zelf hoe bitter haar stem klinkt.

'Je moet Bas niet overal de schuld van geven,' zegt haar moeder.

'O, ik hoor het alweer,' schreeuwt Anne opeens. 'Het ligt allemaal aan mij.'

Timmie begint te huilen.

'Je moet toch toegeven dat je de laatste tijd niet een van de gemakkelijksten bent geweest.' Haar moeder tilt Timmie uit de box.

'Ja, hoor, ik weet het,' roept Anne tegen haar achterste. '*Ik* ben lastig. *Ik* ben de schuld van alles. En nu ben ik ook nog gek!'

'Dat zeg ik helemaal niet,' gaat haar moeder ertegenin.

'Maar je denkt het wel!' Anne kan er niet meer tegen. Ze stormt de kamer uit. Met twee treden tegelijk rent ze de trap op. De deur van haar slaapkamer slaat ze met een harde slag achter zich dicht.

5

Anne droogt vlug haar tranen als haar moeder even later met Timmie naar boven komt. Ze kijkt op haar horloge. Eén uur. Tijd voor zijn middagdutje. Ze ziet voor zich hoe haar moeder hem op de commode legt. Als ze de korte klik van het deurtje hoort, glimlacht ze even. Een schone luier. Hij is het verdriet van daarnet blijkbaar alweer vergeten, want hij brabbelt vrolijk. Anne zou nu het liefst even naar hem toe zijn gegaan om hem een kusje te geven, maar ze doet het niet.

Even later worden de gordijnen dichtgetrokken: Timmie ligt in zijn bedje. Verwachtend dat haar moeder nu naar haar toe zal komen, kijkt Anne naar de deur, maar de voetstappen gaan de trap af. Nou, dan niet.

Een poosje blijft ze nijdig op de rand van haar bed zitten, dan loopt ze zachtjes naar Timmies kamertje. De deur staat op een kier. Stilletjes sluipt ze naar binnen. 'Hoi, lekkere knul,' fluistert ze.

Meteen gaat Timmies hoofdje omhoog, zijn ogen beginnen te stralen en hij maakt een blij kraaigeluidje.

'Ssst,' sist Anne. 'Mama mag het niet horen. Ik kom alleen maar even zeggen dat ik niet meer zo lelijk zal doen.' Ze buigt zich over hem heen en drukt een kus op zijn ronde wangetjes. 'Ga je nu lekker slapen?'

Het gezicht van Timmie betrekt.

'Nu niet gaan huilen, hoor,' fluistert ze. Ze trekt het dunne zomerdekentje wat verder over hem heen, maar Timmie slaat het weg. 'Zal ik iets voor je zingen?' vraagt ze.

Timmie lacht alweer. Zijn gezichtje straalt als ze zachtjes een liedje voor hem zingt. 'Nu moet je echt gaan slapen, hoor,' zegt ze als het uit is. Ze komt overeind, maar zodra ze naar de deur loopt, zet Timmie een keel op. Haastig loopt ze terug naar zijn bedje. 'Ssst, straks komt mama naar boven,' fluistert ze. 'Ik zal nog één liedje voor je zingen, maar dan moet je stil zijn, hoor.' Anne zingt alle liedjes die ze kent, maar telkens als ze stopt, begint Timmies onderlipje weer te trillen.

Opeens voelt ze een hand op haar schouder. Het is haar moeder. 'Het is lief dat je hem in slaap probeert te zingen,' zegt ze, 'maar we moeten hem daar niet te veel aan wennen. Het is helemaal niet erg als hij wat huilt voor het inslapen.'

Anne schudt haar moeders hand af en loopt de kamer uit. Meteen begint Timmie weer te huilen.

'Ga je mee naar beneden?' vraagt haar moeder als ze op de gang staan. 'Dan kunnen we even praten.'

Anne knikt kort. Ze zijn de trap nog niet af of Timmie is alweer stil.

'Zal ik thee zetten?' vraagt haar moeder.

'Ja, dat is goed,' antwoordt Anne stug. Ze gaat aan de keukentafel zitten.

'Ik begrijp dat je boos werd,' begint haar moeder, terwijl ze de waterkoker vult. 'De spanningen in huis komen niet alleen door jou. Het zijn de omstandigheden. Zo'n verhuizing is een enerverende gebeurtenis en daar hebben we allemaal een beetje last van. We moeten wennen aan een nieuwe omgeving en we missen onze vrienden en kennissen. Vooral voor jou is het niet gemakkelijk. Ik besef nu eigenlijk pas hoeveel er in korte tijd is veranderd in je leven. Dat is begonnen toen ik Bas ontmoette.'

Anne doet haar mond al open voor een venijnige opmerking, maar ze houdt zich in.

'Nog geen jaar daarna zijn we bij hem ingetrokken. En nu zijn we alweer verhuisd.'

De waterkoker geeft een paar piepjes en slaat af. Annes moeder giet het kokende water in de theepot en zet hem op een dienblad. 'Je kent hier niemand,' vervolgt ze, terwijl ze twee kopjes pakt. 'Daarom is het niet zo vreemd dat je behoefte hebt aan een vriendin waarmee je kunt praten. En dat meisje waarover je het hebt, voorziet daarin.'

'Ze heet Anne,' zegt Anne stroef. 'Net als ik.'

Haar moeder lijkt even in verwarring. Ze schenkt thee in. 'Je moet dat meisje loslaten, lieverd,' zegt ze opeens. 'Je kunt beter vrienden zoeken van vlees en bloed. Wacht maar tot je eenmaal op je nieuwe school zit, dan heb je gauw genoeg nieuwe vriendinnen.'

'Dat zal best,' zegt Anne, 'maar zoals met Marit en Eline wordt het nooit. Ik ken ze al vanaf de basisschool.'

Haar moeder knikt. 'Ik begrijp dat je ze mist. Je moet ze maar gauw een keer te logeren vragen. In de herfstvakantie bijvoorbeeld.'

Anne veert op. 'Mag het nu ook?' vraagt ze.

'Ze zijn toch met vakantie?'

'Eline wel, maar Marit is nog thuis. Die vertrekt woensdag pas. Ze kan nog een paar dagen hierheen komen.' Hoopvol kijkt Anne haar moeder aan.

'Wat mij betreft kan het wel.'

'Bedankt mam.' Anne geeft haar moeder een snelle kus en haast zich naar de huiskamer. Voor de zekerheid gluurt ze eerst even om de hoek, maar alles ziet er nog steeds normaal uit. Toch neemt ze de telefoon mee naar de keuken. Daar toetst ze Marits nummer in, maar haar mobieltje staat blijkbaar uit. Ook op het vaste nummer krijgt ze geen gehoor. Teleurgesteld legt ze de telefoon op de keukentafel.

'Is ze er niet?' vraagt haar moeder.

Anne schudt van nee. 'Marits telefoontje stond uit en thuis werd er ook niet opgenomen. Ze zal wel naar het strand zijn.' Op dat moment knort haar maag luid.

'Zo te horen heb je nog niet gegeten,' zegt haar moeder. 'Zal ik maar gelijk een paar boterhammen klaarmaken?'

'Ik eet straks wel,' antwoordt Anne. 'Ik wil eigenlijk eerst mijn computer aansluiten. Dan kan ik Marit meteen een mailtje sturen.'

'En je thee dan?'

'Die neem ik wel mee naar boven.'

Als Anne bovenkomt, staat de deur van haar kamer op een kier. Ze had hem toch dichtgedaan? Of zou de andere Anne… Met een bonzend hart blijft ze staan. 'Stel je niet aan,' zegt ze tegen zichzelf. Dan gooit ze in één beweging de deur open en stapt haar kamer binnen. Er is niemand. Anne slaakt een diepe zucht. Zou mam dan toch gelijk hebben? Zou ze de andere Anne dan toch verzonnen hebben? Ze voelt zich inderdaad eenzaam, alsof iedereen haar nu al begint te vergeten. Maar meteen verwerpt ze dat idee. Ze zet haar kopje thee in de vensterbank en sluit haar deur. Ze moet zich niets aan laten praten. Ze verzint toch niet zomaar een meisje? De andere Anne ziet er zo echt uit. Ze heeft met haar gesproken. Ze heeft zelfs haar vader en zijn vriendin gezien. Zoiets kan iemand toch niet verzinnen? Toch neemt ze zich voor extra kritisch te zijn als ze de andere Anne weer ontmoet.

Maar nu wil ze aan iets anders denken. Ze moet haar computer aansluiten. Een poosje staart ze naar de rommel op haar bureau. Waar zal ze beginnen? Eerst maar alle snoertjes en kabels bij elkaar zoeken. Ze legt ze op een hoopje op de grond. Daarna zet ze de computerkast, de monitor en de printer op zijn plaats.

Ze heeft de oude computer van Bas gekregen. Hij had toch een nieuwe nodig, zei hij. Ook het bureau heeft ze van hem gekregen. Met zijn drieën waren ze naar de grote woonboulevard gegaan om het uit te zoeken, mam liep toen al met een dikke buik. In de derde zaak had ze dit bureau gezien en ze was er meteen weg van. De combinatie van het grenenhout met het gele blad en de gele handgrepen op de laden en kastjes was prachtig. Het was precies wat ze zocht.

'Je krijgt het van mij,' zei Bas.

Meteen gingen haar haren overeind staan. Als hij dacht dat hij haar met dure cadeaus kon inpalmen, dan had hij het mis. Een ogenblik speelde ze met de gedachte te zeggen dat ze het toch niet wilde hebben, maar ze zweeg. Ze hadden het meegenomen en Bas had het voor haar in elkaar gezet. Haar oude bureautje had hij naar een kringloopwinkel gebracht. Eigenlijk had ze het willen houden, maar voor twee bureaus was geen plaats geweest in het appartement van Bas.

Even later staat alles op zijn plaats en Anne begint de kabels aan te sluiten. Als ze de laatste oppakt, ziet ze dat er een ontbreekt: dat van de monitor naar de computer. Anne zoekt overal. Ze kijkt in de verhuisdozen, tussen haar kleren en onder haar bureau, maar het is nergens. Hoe moet ze Marit nu mailen? Opeens denkt ze aan de computer van Bas. Gisteravond had hij er nog achter gezeten. Die deed het dus.

Op dat moment wordt er geklopt en tegelijk gaat de deur open. Het is haar moeder. Ze zet een bordje op de hoek van het bureau. 'Ik heb hier een paar boterhammen voor je,' zegt ze.

Ze is weer eens bang dat ik te weinig eet, denkt Anne. 'O, fijn, dank je wel,' zegt ze toch maar. 'Mag ik zo even op de computer van Bas?' vraagt ze er meteen achteraan. 'Ik kan de mijne niet gebruiken. Er is een kabeltje van de monitor weg.'

'Hoe kan dat nou?'

'Weet ik veel. Ik heb overal gezocht, maar het is nergens.'

'Misschien kan Bas je vanavond helpen. Die heeft vast nog wel ergens een kabeltje liggen.' Annes moeder maakt aanstalten om weer naar beneden te gaan.

'Daar heb ik nu niets aan,' zegt Anne tegen haar rug. 'Ik moet Marit nú mailen.'

Haar moeder draait zich om. 'Je weet dat Bas het vervelend vindt als een ander aan zijn computer zit.'

'Dan heeft hij zeker wat te verbergen,' flapt Anne eruit. Ze had het beter niet kunnen zeggen.

'Ik wil niet dat je dat soort dingen over Bas zegt,' zegt haar moeder scherp. 'Bas heeft helemaal niets te verbergen. Hij wil alleen niet dat je aan zijn computer zit. Er staan dingen op van zijn werk en die zijn vertrouwelijk.' Meteen loopt ze de kamer uit. Ze laat de deur openstaan.

'Vertrouwelijk, pff,' mompelt Anne nog, maar haar moeder gaat de trap al af. Weifelend kijkt Anne haar na. Zal ze toch stiekem even naar zolder gaan om een mailtje te versturen? Wat heeft Bas te verbergen dat ze niet op zijn computer mag? Trouwens, wat weten ze eigenlijk van hem? Dat hij enig kind was, dat zijn ouders niet meer leven en dat hij nooit getrouwd is geweest. Tenminste, dat zegt hij. Ook beweert hij dat hij jarenlang met veel plezier in Singapore heeft gewerkt. Maar waarom is hij daar dan weggegaan? Mam zegt dat hij is teruggekomen omdat zijn moeder opeens ernstig ziek werd. Het zal wel.

Even later klinkt beneden het geluid van de stofzuiger. Anne kijkt naar de boterhamen op haar bureau. Dan valt haar oog op de telefoon. Ze besluit Marit nog maar eens te bellen. Ze toetst haar nummer in, maar haar mobieltje staat nog steeds uit en ook bij haar thuis wordt de telefoon niet opgenomen. Beneden hoort ze hoe haar moeder de stofzuiger uitzet. Haar voetstappen komen de trap weer op. 'Ik moet even een boodschap doen,' zegt ze. 'De stofzuigerzak zit vol en de nieuwe zijn op. Kan jij even een oogje op Timmie houden?'

'Jawel,' mompelt Anne stroef. Even later ziet ze haar moeder wegfietsen. Peinzend kijkt ze haar na. Hoe lang zou ze wegblijven? Toch minstens een kwartier. Dan twijfelt ze niet langer en haast zich naar de zolderverdieping. Als ze voor de deur van Bas' werkkamer staat, aarzelt ze. Hij zal toch niet ongemerkt thuis zijn gekomen?

'Wat een onzin,' zegt ze zacht tegen zichzelf. Toch klopt ze voor de zekerheid even. Er komt geen antwoord. Als ze de deur opendoet, kijkt ze verstard de kamer in. Sinds de verhuizing is ze hier niet meer geweest, maar ze ziet meteen dat de spullen die er staan niet van Bas zijn. Ook hangt er weer die vreemde mist. Ze knijpt hard in haar arm. De pijn beneemt haar even de adem. Dit wat ze ziet is dus echt. Terwijl ze de kamer binnen stapt, merkt ze dat ze het niet meer zo griezelig vindt als eerst. Maar als de andere Anne opeens vanachter een openstaande kastdeur tevoorschijn komt, schrikt ze toch.

'W...wat doe jij hier?' stamelt ze.

'Dat kan ik beter aan jou vragen,' antwoordt de andere Anne. 'Dit is mijn kamer. Ik heb je toch verteld dat ik naar de zolder zou verhuizen.'

Een hele tijd weet Anne niet wat ze moet zeggen. Ze laat haar blik door de kamer gaan. Het vloerkleed dat eerst beneden lag, ligt nu hier en de blauwgrijze gordijnen hangen voor het zolderraam. Ze kan zich nog voorstellen dat je een vriendinnetje verzint, maar een hele ingerichte kamer... Opeens valt haar oog op het bureautje.

'Hoe kom je daar eigenlijk aan?' vraagt ze.

'Dat bureautje?' De andere Anne fronst haar wenkbrauwen. 'Dat heb ik al jaren.'

'Dus je hebt het niet in een kringloopwinkel gekocht?'

'Nee. Hoe kom je daarbij?'

'Dat zou toch kunnen?' Anne stapt aarzelend de kamer in en bekijkt het bureautje van alle kanten. 'Ik heb er precies zo een gehad,' zegt ze. 'Maar dat is naar de kringloopwinkel gegaan toen ik een nieuwe kreeg.'

'Wanneer was dat?'

'Vorig jaar.'

'Dan is dit toch een ander, want dit staat al zo lang als ik me kan herinneren op mijn kamer. Het is vroeger van mijn moeder geweest.'

'Hè? Dat van mij ook!'

Weer zoiets raars. Anne weet niet meer wat ze ervan moet denken. Opeens herinnert ze zich iets. Ze buigt zich voorover. In het licht dat schuin over het bovenblad valt, is de kras duidelijk te zien. Ooit heeft haar moeder haar verteld dat ze in een boze bui haar boekentas op haar bureau heeft gesmeten. Ongelovig laat Anne haar vingers eroverheen gaan, maar ze voelt niets. Geen bureau, geen kras, helemaal niets. Ontdaan trekt ze haar hand terug.

'Wat is er?' vraagt de andere Anne.

'N…niets,' stamelt Anne. Ze denkt aan gisteren, toen ze met haar hand dwars door het gezicht van de andere Anne ging.

'Waar schrok je dan zo van?'

Anne wil het liever niet zeggen. Eerst wil ze weten of ze het zich niet allemaal verbeeld heeft. 'Ik schrok van die kras op het blad,' zegt ze dan. 'Het is precies dezelfde kras als op mijn oude bureautje.'

De andere Anne komt erbij staan. 'Die kras zat er al toen ik het kreeg,' zegt ze. Ze laat haar hand over het bureaublad glijden. Het geeft een licht schurend geluid.

Het stelt Anne een beetje gerust. 'En toch is het raar,' zegt ze. 'Vorig jaar heb ik een nieuw bureau gehad en toen is mijn oude bureautje naar de kringloopwinkel gebracht. Jij zei dat je dit al jaren hebt, maar hoe kan het dan dat er in allebei dezelfde kras zit?'

'Hoe weet ik dat nou?' In de stem van de andere Anne klinkt angst door.

'Er móét toch een verklaring voor zijn,' zegt Anne. 'Er blijken steeds meer overeenkomsten te zijn tussen jouw leven en dat van mij. Nu weer dat met die bureaus.'

'En dat van vanmorgen dan?'

'Dat onze vaders op elkaar lijken, bedoel je?'

'Ja. Jij zag vanmorgen toch mijn vader aan voor de jouwe?'

Anne knikt. 'Ik begreep niet waarom hij niet reageerde toen ik tegen hem sprak. Hij liep me voorbij alsof ik lucht was. Ik had het gevoel of ik niet voor hem bestond. Later pas begreep ik dat hij me écht niet zag.'

'Maar jij kon hém wél zien.'

'Ja, dat is raar.' Anne kijkt om naar de deur die nog steeds openstaat. Het liefst zou ze zich nu omdraaien en naar beneden rennen. Weg van de andere Anne, weg van al die onbegrijpelijke dingen. Maar dan zal ze er nooit achterkomen wat er hier in huis gaande is.

Opeens schiet haar iets te binnen, iets wat ze al eerder had willen vragen. 'Wie is Sanne eigenlijk?'

'Dat is mijn zusje.'

'Woont die hier ook in huis?'

'Ja, natuurlijk. Over een poosje krijgt ze mijn oude kamer.'

'Waar ik nu zit?'

'Ja.'

Anne huivert. 'Wanneer?'

'Dat weet ik niet. Mijn vader wil hem eerst een beetje opknappen.'

Dat heeft Bas allemaal al gedaan, wil Anne zeggen, maar ze begrijpt dat het anders is in de wereld van de andere Anne.

'Waar is je zusje eigenlijk?' vraagt ze.

'Die zit op school.'

'Heeft ze dan geen vakantie?'

De andere Anne geeft niet meteen antwoord. 'Jawel,' zegt ze dan, 'want ze hoeft nu niet te leren. Ze doen er alleen leuke dingen.'

'O,' weet Anne alleen te zeggen. Er valt een stilte.

'Mijn zusje zit niet op een gewone school,' gaat de andere Anne opeens verder. 'Het is een speciale school, want mijn zusje is gehandicapt.'

Anne kijkt haar beduusd aan. 'Wat heeft ze?' Verschrikt slaat ze haar hand voor haar mond. 'Sorry, dat ik het zomaar vraag.'

'Geeft niet.' De andere Anne glimlacht verdrietig. 'Sanne is spastisch en geestelijk is ze ook niet helemaal goed. Maar ik houd heel veel van haar.'

Anne weet niet wat ze moet zeggen. Plotseling hoort ze beneden een deur dichtslaan. 'Ik moet naar beneden,' fluistert ze. 'Mijn moeder is thuisgekomen.' Ze draait zich om en haast zich de kamer uit. Zo zacht als ze kan sluipt ze de zoldertrap af. Ze is net op tijd in haar kamer, want ze hoort de voetstappen van haar moeder naar boven komen. Een ogenblik later steekt ze haar hoofd om de deur.

'Slaapt Timmie?' vraagt ze.

'Ik heb hem niet meer gehoord.' Om haar rode kleur te verbergen, laat Anne zich op haar knieën zakken en doet of ze onder haar bed kijkt.

'Zoek je iets?'

'Ja, dat kabeltje, dat weet je toch?' Anne komt overeind, maar ze moet vlug op haar bed gaan zitten om niet te vallen.

'Wat is er met jou?' hoort ze haar moeder vragen.

'Niets, gewoon een beetje duizelig.'

'Dat verbaast me niets. De boterhammen die ik voor je heb klaargemaakt staan er nog net zo. En vanmorgen heb je zeker ook weer niet ontbeten?'

Anne moet even nadenken. 'Nee, vergeten,' zegt ze met een verontschuldigend lachje.

6

'Probeer Marit nog eens te bellen,' zegt Annes moeder, terwijl ze bezig is met het eten.

'Dat heb ik al zo vaak geprobeerd,' antwoordt Anne.

'Misschien zijn ze een paar dagen eerder op vakantie gegaan,' oppert Bas die net via de keukendeur is binnen gekomen en Annes moeder een zoen geeft.

'Hoe kan dat nou,' zegt Anne bits, 'ze gaan met het vliegtuig.'

'Dat weet ik toch niet.' Hij loopt langs haar heen de gang in, zet zijn tas onder aan de trap en loopt meteen door naar de wc. Anne gaat de huiskamer in en laat zich in de stoel naast de telefoon ploffen. Ze toetst Marits vaste nummer maar weer eens in.

'Met Janneke de Jong,' klinkt het aan de andere kant van de lijn.

'Met Anne, is Marit thuis?'

'Ja, ze komt net binnen.' Anne hoort gelach en een meisjesstem die roept: 'Misschien is het die leuke jongen van het strand.'

'Hoi, met Marit,' hoort ze dan.

'Ik ben het maar,' zegt Anne een beetje zuur.

'O, hoi, Anne. Wat leuk dat je belt. Hoe bevalt het in Zeist?'

'Gaat wel. Waar ben je de hele dag geweest?' laat ze er meteen op volgen. 'Ik heb je -tig keer gebeld, maar je nam niet op.'

'Ik had mijn mobieltje thuis laten liggen. We zijn naar het strand geweest. Het was echt super. Ik ben hartstikke bruin geworden. Sandra ook, alleen is die een beetje verbrand.'

'Was je met Sandra?'

'Ja.'

'Was Eline ook mee?'

'Nee, die is toch met vakantie?'

Anne doet haar mond al open om te vragen of Marit een paar dagen komt logeren, maar ze komt er niet tussen.

'Morgen gaan we weer naar het strand,' ratelt ze verder. Opeens laat ze haar stem dalen tot een gefluister: 'Mijn moeder mag dit niet horen, maar we hebben daar een paar hartstikke leuke jongens ontmoet. We hebben de hele tijd met ze zitten kletsen. Ze komen uit Leiden en we hebben morgen weer met elkaar afgesproken. Op dezelfde plek, tegenover die strandtent van Billabong Beach, je weet wel.'

'Hmm,' zegt Anne alleen.

'Ze zijn allebei dertien en ze zien er te gek uit.' Opeens gaat ze met haar normale stem verder. 'Mijn moeder is de tuin in gegaan, dus ik hoef nu niet meer te fluisteren. Die ene jongen heet Jorg. Hij is bijna een meter negentig en heeft donkere krullen. Sandra is helemaal weg van hem. Maar ik vind Jelle leuker. Hij heeft de mooiste ogen die ik ooit heb gezien. Hij heeft lang blond haar dat hij in een staartje...'

Annes gedachten dwalen af. Ze herinnert zich de dagen dat ze met z'n drieën naar het strand gingen. Wat een plezier hebben ze altijd samen gehad. Maar Marit vermaakt zich blijkbaar ook zonder haar. Ze luistert weer.

'...hebben telefoonnummers uitgewisseld en als ik terug ben van vakantie, dan spreken we weer iets af.' Marit is blijkbaar uitgepraat, want het blijft stil.

'Leuk,' zegt Anne daarom maar.

'Waarom belde je eigenlijk?' vraagt Marit.

'Ik wilde vragen of je komt logeren, maar...'

'Hoe kan dat nou?' valt Marit haar in de rede. 'Je weet toch dat we woensdag op vakantie gaan? Trouwens, morgen heb ik afgesproken om... Maar weet je wat?' onderbreekt ze zichzelf. 'Als jij nou eens bij mij komt. Dan gaan we morgen met z'n drieën naar het strand. Je kunt dan gelijk Jelle zien. Alleen kan je maar tot dinsdag blijven, want...'

'Ja, ik weet het, woensdag gaan jullie weg,' kapt Anne haar wat bot af. Ze ziet het al voor zich: zij met Marit en Sandra op het strand met twee wildvreemde jongens. Ze piekert er niet over om er als vijfde wiel aan de wagen bij te hangen. 'Ik denk dat het weinig zin heeft om voor die paar dagen naar jou toe te komen,' gaat ze wat vriendelijker verder. 'Trouwens, ik heb nog van alles te doen. Ik moet mijn computer nog aan de praat zien te krijgen en mijn spiegel ophangen en nog veel meer.'

'Dat begrijp ik,' zegt Marit. 'Misschien kunnen we daarom beter wat afspreken voor als ik terug ben.' En als Anne niet direct antwoord geeft: 'Ik bel je nog wel. Goed?'

'Oké.'

'Ik ben maar twee weken weg.'

'Ja, dat weet ik.'

'Nou, tot bellens dan. Doei.'

'Ja, doei. En een fijne vakantie nog, hè!' voegt Anne er haastig aan toe.

'Kom je eten?' roept haar moeder vanuit de keuken.

Zwijgend gaat Anne even later aan tafel zitten. Timmie wipt op en neer in zijn kinderstoel en wacht ongeduldig op het prakje dat voor hem wordt klaargemaakt. Terwijl Bas zijn bord vol schept, begint hij over zijn werk te vertellen. Hij heeft het over een rechtszaak die hij voor iemand heeft gewonnen. Het interesseert Anne niet, maar toch luistert ze mee. Ze begrijpt dat het over een man gaat die een heleboel geld van iemand anders tegoed had en dat door toedoen van Bas nu eindelijk uitbetaald krijgt.

'Wat ben je stilletjes,' richt Bas zich opeens tot haar.

'Ik?' Verstoord kijkt Anne hem aan. 'Ik wacht gewoon tot jij klaar bent met opscheppen.'

'Móét je de sfeer weer verpesten?' valt haar moeder boos tegen haar uit. 'Bas zit gewoon enthousiast te vertellen en jij legt het meteen uit als opscheppen!'

Anne voelt haar gezicht heet worden van verontwaardiging. Ze doet haar mond al open om zich te verweren als Bas in lachen uitbarst.

'Ze had het over het eten, Christa! Opscheppen, je weet wel…' Hij neemt nog een extra lepel macaroni.

Haar moeder is er een ogenblik stil van. 'Sorry,' zegt ze dan. 'Ik begreep het gewoon verkeerd.' Ze lacht verontschuldigend.

Anne haalt nukkig haar schouders op. Toen ze nog met z'n tweetjes waren, hadden ze dat soort misverstanden nooit. Maar sinds mam Bas heeft, kiest ze altijd partij voor hem. Anne zucht. Ze hebben steeds vaker ruzie.

Bas zet de schaal met macaroni voor haar neer. Ze neemt er twee scheppen van en schuift de schaal dan door naar haar moeder. Lusteloos roert ze wat door haar eten.

'Heb je geen trek?' vraagt Bas.

'Ik heb tussen de middag een beetje veel gegeten,' antwoordt ze.

Bas knikt even. Dan praat hij verder over zijn werk. Ondertussen steekt mam telkens een hapje in Timmies mond. Anne zucht. Waarom is ze niet op het aanbod van Marit ingegaan? Alles beter dan hier aan tafel te moeten zitten alsof ze er niet bij hoort.

Opeens trekt een beweging bij de deur naar de gang haar aandacht. Als ze haar hoofd opzij draait, ziet ze de andere Anne in de deuropening staan. Nu kan mam zelf zien dat ze haar niet heeft bedacht. Net wil ze haar moeders aandacht erop vestigen, als ze zich bewust wordt van een verandering in het uiterlijk van de andere Anne. Ze kijkt opnieuw. Dan pas ziet ze het: de andere Anne draagt haar haar niet meer in een staart en ze is naar de kapper geweest. Het is op precies dezelfde manier geknipt als dat van haar. Nu lijken ze helemaal op elkaar. Straks weet mam niet eens wie wie is.

Opeens krijgt Anne een benauwd gevoel. Stel je voor dat de andere Anne het erom heeft gedaan? Stel je voor dat ze van plan is haar plaats in te nemen? Wat dan? Ze denkt aan de vele ruzies die ze de laatste tijd met haar moeder heeft gehad. Wat gebeurt er als die ziet dat er twee Annes zijn? Straks vindt ze de andere Anne veel aardiger...

Op dat moment komt de andere Anne de keuken in. Haar ogen zijn strak op mam gericht. Schuin achter Bas blijft ze staan. Gelukkig ziet mam de andere Anne niet, want ze heeft het te druk met het voeren van Timmie en Bas zit met zijn rug naar haar toe.

'Je eten wordt koud,' zegt Bas opeens. 'Zal ik Timmie van je overnemen?'

Anne begrijpt dat hij het tegen haar moeder heeft.

'Ja, graag.' Anne ziet hoe ze Timmies lepel aan Bas geeft. Ze houdt haar adem in. Nu móét ze de andere Anne wel zien, maar ze pakt gewoon haar mes en vork en begint te eten. 'Wat is er met jou?' vraagt ze onverwachts.

'Met mij?' Verschrikt kijkt Anne haar aan.

'Ja, met jou. Je eet helemaal niet.'

'O… eh… ik zat aan iets te denken.' Anne probeert haar stem luchtig te laten klinken. Mam heeft de andere Anne blijkbaar nog steeds niet opgemerkt. Zo ontspannen mogelijk steekt ze een hap in haar mond, maar het is of haar keel dichtzit.

De ogen van haar moeder nemen haar onderzoekend op. 'Dat je af wilt vallen vind ik prima,' zegt ze opeens, 'maar je moet wel blijven eten, hoor.'

Anne slikt de hap krampachtig door. 'Alsjeblieft, mam, ik heb heus geen anorexia,' zegt ze een beetje geïrriteerd.

'Dat weet ik wel, maar dit is wel het minimum dat je op moet eten.'

'Mama?' De stem van de andere Anne klinkt opeens luid en duidelijk door de keuken. Anne verstijft. Ze kijkt van haar moeder naar Bas, maar ze eten gewoon door. Blijkbaar hebben het niet gehoord. Dan pas dringt het tot haar door wat de andere Anne zei: mama. Zie je wel? Ze wil haar plaats innemen! Hoe krijgt ze dat kind hier weg? Tersluiks kijkt ze naar haar. Dan ziet ze dat er tranen in haar ogen staan. Wat zou er zijn? Maar ze krijgt geen tijd om erover na te denken.

'Jij was toch een kabeltje van je computer kwijt?' vraagt haar moeder.

'J…ja,' hakkelt Anne. Mam móét de andere Anne nu toch zien, maar ze wendt zich zonder er iets over te zeggen tot Bas.

'Anne wilde vanmorgen haar computer aansluiten, maar er ontbrak een kabeltje. Ik zei dat jij er misschien nog wel een had liggen.'

'Om wat voor kabeltje gaat het?'

'Om dat wat van de monitor naar de computer loopt,' antwoordt Anne. Ze moet moeite doen om niet telkens naar de andere Anne te kijken.

'Ik zal na het eten even kijken of ik er zo eentje heb. Er staat een doos vol met die troep op mijn kamer. Misschien ligt dat van jou er zelfs wel tussen. Het was zo'n chaos toen we aan het inpakken waren.'

'O, fijn,' zegt Anne.

'Ik wil je wat laten zien,' zegt de andere Anne opeens. 'Kun je straks even naar mijn kamer komen?'

Anne houdt haar adem in, maar haar moeder en Bas eten gewoon door. Blijkbaar kunnen ze de andere Anne niet horen en ook niet zien.

Het stelt Anne een beetje gerust. Ze kijkt opzij en knikt onopvallend. Tot haar opluchting ziet ze hoe de andere Anne zich omdraait en de keuken uit loopt. Met dat halflange haar is het net of ze zichzelf ziet...

Ze staat op. 'Ik voel me niet zo lekker,' verzint ze gauw. 'Beetje misselijk.' Vlug loopt ze de keuken uit. Ze trekt de deur achter zich dicht en haast zich naar de trap. Nog net ziet ze de andere Anne om de bocht verdwijnen. Met twee treden tegelijk rent Anne naar boven.

'Wacht even,' sist ze.

De andere Anne blijft staan.

'Wat wilde je me eigenlijk laten zien?' fluistert Anne.

'Een foto. Ik heb hem op mijn kamer. Kom maar mee.' De andere Anne wil de zoldertrap al op gaan, maar Anne schudt haar hoofd.

'Als mijn moeder merkt dat ik op de kamer van Bas zit, heb ik zo weer ruzie,' fluistert ze.

De andere Anne kijkt haar een ogenblik besluiteloos aan. 'Ik haal hem wel,' zegt ze dan.

Terwijl Anne onder aan de zoldertrap wacht, hoort ze beneden de deur van de huiskamer open gaan.

'Kan ik iets voor je doen?' klinkt de stem van Bas.

Anne gaat vlug de badkamer in. 'Nee, laat me nou maar,' roept ze kribbig. 'Ik ben gewoon een beetje misselijk.' Het blijft even stil. Dan hoort ze Bas de keuken weer in gaan. Ze zucht opgelucht. Even later hoort ze de voetstappen van de andere Anne de trap af komen. Ze steekt haar hoofd om de badkamerdeur. 'Ik zit hier,' fluistert ze.

'Waarom gaan we niet naar je kamer?'

'Ik heb gezegd dat ik misselijk was.' Anne maakt een kokhalsgeluid-je. De andere Anne glimlacht flauwtjes en komt de badkamer binnen. Anne draait de deur achter haar op slot.

'Waarom doe je dat? vraagt de andere Anne wantrouwig.

'Dan worden we niet gestoord. Ik wil niet dat mijn moeder of Bas hier opeens binnenkomen.' Anne wijst naar de zilverkleurige lijst die de andere Anne bij zich heeft. 'Is dat de foto?' vraagt ze.

De andere Anne knikt. 'Hier, kijk maar.'

Anne ademt scherp in. Vanachter het glas kijkt een jonge vrouw haar glimlachend aan. 'Maar dat is mijn moeder!' roept ze uit. Ze reikt al met haar hand naar de foto, als ze aan de griezelige ervaring met het bureautje denkt. Haastig trekt ze hem terug. 'D...die foto moeten we hier ook ergens hebben,' hakkelt ze. 'Ik heb hem wel eens gezien. Maar hoe kom jij eraan?'

'Ik heb hem van mijn vader gekregen toen ik nog heel klein was. Hij staat altijd op mijn kamer. Het is een foto van mijn moeder kort voordat ze verongelukte.'

'Verongelukte?' echoot Anne.

'Ja, een auto-ongeluk.'

Anne kijkt ontdaan naar de foto. Het is ontegenzeggelijk haar moeder, maar die leeft. Ze zit beneden aan tafel.

'Wat erg,' weet ze alleen maar te zeggen.

De andere Anne schudt haar hoofd even. 'Het is al een poos geleden gebeurd, hoor,' zegt ze. 'Ik was pas twee. Dus ik heb eigenlijk geen herinnering aan mijn moeder. Maar ik heb haar wel altijd heel erg gemist.' Terwijl ze het zegt, verschijnen er opnieuw tranen in haar ogen.

'Je mist haar blijkbaar nog steeds,' zegt Anne.

De andere Anne schudt haar hoofd. 'Daar huil ik niet om,' zegt ze. 'Ik huil omdat ik haar zomaar opeens beneden aan de keukentafel zag zitten.'

Anne is even sprakeloos. 'Ja, maar... ja, maar dat is *mijn* moeder,' stamelt ze.

'Dat had ik al begrepen,' zegt de andere Anne. 'Maar als het nu ook eens *mijn* moeder is? Mijn vader heeft me altijd verteld dat ze dood is gegaan, maar als dat nu eens niet zo is? Dan zouden we toch een tweeling zijn.' Ze lacht door haar tranen heen.

Anne schudt ongelovig haar hoofd. 'Dat heb ik eerst ook even gedacht, maar dan zou mijn moeder me toch wel verteld hebben dat ik een tweelingzusje heb?'

'Misschien niet. Misschien hebben onze ouders afgesproken om ons te verdelen. Ik bij mijn vader en jij...'

'Onzin,' roept Anne opeens. 'Er is iets heel anders aan de hand. Mijn moeder zag en hoorde je niet. Net zoals jouw vader mij niet zag of hoorde. We zijn geen tweeling. Trouwens, welke tweeling heeft nou dezelfde naam?'

De andere Anne probeert de nieuw opwellende tranen weg te vegen. 'Je zult wel gelijk hebben,' zegt ze.

'Waarom draag je je haar plotseling los?' vraagt Anne opeens.

De andere Anne aarzelt even. 'Dat wilde ik al een poosje. Als ik het elastiek eruit moet halen, trek ik altijd een heleboel haren uit; het wordt steeds dunner. En toen ik gisteravond jou en je moeder in de keuken zag, toen…'

'Ik heb je helemaal niet gezien,' valt Anne haar in de rede.

'Dat kan wel, want ik ben meteen weggerend. Ik was helemaal in de war. Ik dacht dat ik mijn moeder zag.'

'Maar ze was het niet,' zegt Anne.

'Nee.' Er rollen opeens twee dikke tranen over de wangen van de andere Anne. 'Maar toen wist ik dat nog niet. Toen ik vanmorgen voor de spiegel stond met mijn haar los, bedacht ik dat ik het net zo wilde als dat van jou. Ik ben toen naar de kapper gegaan en…'

'Je hoopte zeker dat mijn moeder jou voor mij zou aanzien,' valt Anne haar scherp in de rede.

'Ja… eh… nee. Ik weet eigenlijk niet wat ik wilde. Ik hoopte dat mijn moeder me zou herkennen, dat ze me in haar armen zou nemen en dat ze blij zou zijn me te zien.'

'Maar ze zag je niet.'

'Nee.' De andere Anne begint zachtjes te huilen.

Anne voelt zich opeens schuldig. De andere Anne wilde haar plaats helemaal niet innemen. Ze verlangde alleen maar naar haar moeder. Anne zou haar armen om haar heen willen slaan, maar ze durft niet. Ze kan alleen maar wachten tot ze wat tot bedaren is gekomen.

Plotseling wordt er geklopt. Vanachter de deur komt gedempt de stem van haar moeder. 'Hoe is het met je?' vraagt ze. De deurkruk gaat een paar keer op en neer. 'Doe eens open.'

Verschrikt kijkt Anne naar de andere Anne.

'Doe maar,' fluistert die. 'Ze kan me toch niet zien.'

Haastig draait Anne de deur van het slot. Haar hart bonst in haar keel als haar moeder met een bezorgd gezicht de badkamer binnenstapt.

'Lieverd, wat is er toch met je?' Ze legt de rug van haar hand tegen Annes voorhoofd. 'Je hebt geen koorts,' zegt ze. 'Is er soms wat anders?'

'Nee, niets, alleen een beetje misselijk. Dat zei ik toch?'

'Heb je overgegeven?'

'Nee.' Anne ziet hoe haar moeder steels in de toiletpot kijkt. De andere Anne staat er vlak naast, maar uit niets blijkt dat mam haar ziet.

'Je probeert je eten er toch niet uit te gooien om gewicht te verliezen?' In haar stem klinkt iets paniekerigs.

'Hoe kom je daar nu bij?' roept Anne verontwaardigd. 'Ik heb nauwelijks een hap gegeten!'

'Daarom juist.'

Anne zucht overdreven. 'Je doet echt idioot, mam. Ik heb geen anorexia. Dat heb ik al eerder gezegd. Ik wil alleen een paar kilo afvallen voordat ik naar mijn nieuwe school ga.'

'En dat wil je doen door niet te eten,' zegt haar moeder half vragend.

'Ik heb wel gegeten. Ik heb om drie uur nog vier boterhammen gegeten. Is het gek dat ik nu niet zo'n trek heb? Maar om je gerust te stellen eet ik dat bord macaroni wel op.'

'Dat zal inmiddels wel koud zijn geworden.'

'We hebben toch een magnetron?'

Haar moeder knikt. Haar gezicht ontspant wat. Als Anne achter haar aan de badkamer uitloopt, kijkt ze nog even om. De andere Anne staat wat verloren naast de wc. In een opwelling werpt Anne haar een kushand toe. De andere Anne glimlacht even en steekt dan aarzelend een hand op.

7

De volgende ochtend wordt Anne met een schok wakker. De laatste flarden van een benauwde droom trekken zich snel terug. Het enige dat ze zich herinnert is dat de andere Anne op haar plaats aan tafel zat en dat ze maar niet aan haar moeder duidelijk kon maken dat het een ander kind was. Haar moeder hoorde haar niet eens.

Met een schuin oog kijkt ze op haar klokradio. 11.05. Zo laat al? Ze heeft het gevoel dat ze nog lang niet is uitgeslapen. Daarom blijft ze nog even liggen. Wanneer ze even later opstaat en de gordijnen opentrekt, ziet ze dat het opnieuw een stralende zomerdag is. De hemel is strakblauw. Een echte stranddag. Zou Marit al weg zijn? Waarschijnlijk wel. Zeker nu ze die afspraak met die twee jongens heeft. Anne zucht. Bellen heeft geen zin meer. Als ze met hen mee had gewild, dan had ze dat gisteren moeten afspreken. Nu is het te laat. Zelfs als ze op dit ogenblik naar het station zou gaan, zou ze op zijn vroegst om één uur bij Marit zijn.

Anne gaat de badkamer in. Ze kijkt door het raam en ziet dat haar moeder en Bas in de tuin bezig zijn. Timmie ligt op een plaid op het grasveld. Er gaat een steek door haar heen. Gezellig met zijn drietjes in de tuin. Zíj hoort er niet bij.

Anne doucht lang, daarna gaat ze naar beneden en maakt een paar boterhammen klaar. Met een bord in haar ene hand en een kop thee in de andere loopt ze de tuin in.

'Zo, eindelijk wakker?' zegt haar moeder. 'Zonde van dat mooie weer. De dag is alweer bijna voorbij.'

Anne haalt haar schouders op.

'Help je straks even mee onkruid wieden?' vraagt ze.

'Moet dat? Ik ben net onder de douche geweest.'

'Het hoeft niet.' Anne hoort een lichte irritatie in haar moeders stem.

'Ik heb ook nog niet gegeten,' zegt ze nors. Op haar hakken draait ze zich om en loopt weer naar binnen. Voor de televisie eet ze haar brood op. Als ze zich nog een kop thee inschenkt, kijkt ze nog even de tuin in. Bas is de heg aan het snoeien en haar moeder zit op haar knieën bij Timmie. Mam ziet haar niet eens. Daarom gaat ze maar naar haar kamer. Bas heeft gisteravond het kabeltje van de monitor gevonden. Nu kan ze tenminste msn'en.

Een paar uur later schakelt Anne haar computer uit. Er was bijna niemand op msn die ze kende. Het lijkt wel of iedereen met vakantie is. Lusteloos kijkt ze om zich heen. Wat zal ze gaan doen vandaag? Zeist in? Kleren kopen? Eigenlijk heeft ze niets nodig. Bovendien is er niet veel aan in je eentje. Haar moeder hoeft ze het niet te vragen, die vindt het op zaterdag veel te druk om te gaan winkelen. Lezen dan? Ze loopt naar haar kast, maar alle boeken die erin staan kent ze al. Misschien is er hier in de stad een bibliotheek.

Terwijl Anne naar beneden gaat, betrapt ze zich erop dat ze uitkijkt naar de andere Anne, maar ze ziet haar nergens. Als ze de keukendeur uit komt, treft ze haar moeder en Bas op het terras achter in de tuin aan. Tevreden kijken ze naar het resultaat van hun werk.

'Waar is Timmie?' vraagt Anne naar het plaid kijkend.

'In zijn bedje,' antwoordt haar moeder. 'Ziet de tuin er niet prachtig uit?'

Anne kijkt om zich heen. 'Ja, mooi. Ik wilde je wat vragen,' laat ze er meteen op volgen. 'Denk je dat ik met mijn kaart van de bieb in Den Haag ook hier terecht kan?'

'Dat weet ik niet. Dat zou je moeten vragen.'

'En als dat niet zo is? Dan moet ik wel een nieuwe kaart hebben. In Den Haag was het voor mij nog gratis. Zou dat hier ook zo zijn?'

'Ik denk het wel, maar als je er even langsgaat, dan weet je het zeker.'

'Waar is de bieb hier ergens?'

'Geen idee. Kijk even in de telefoongids, of anders op internet.'

'Hè ja,' moppert Anne. 'Ik heb net mijn computer uitgezet.' Nijdig loopt ze terug. Het komt gewoon niet bij mam op om haar even te helpen. Ze blijft liever bij Bas zitten.

'Als je naar de bieb gaat, neem je identiteitskaart dan mee,' roept haar moeder haar achterna. 'Misschien heb je die nodig.'

Als Anne even later de tuin uit fietst, rijdt ze bijna tegen een grote herdershond aan. Nog net op tijd kan ze haar stuur omgooien.

'Ollie! Hier!' hoort ze een jongensstem roepen. Van achter de heg tussen hun tuin en die van de buren komt de jongen tevoorschijn die ze eergisteren in de achtertuin naast hen heeft gezien.

'Sorry,' zegt hij. 'Ollie ontsnapte. Hij…'

'Geeft niet,' onderbreekt Anne hem. Ze kijkt hoe hij de riem aan de halsband van de hond vastmaakt. Hij heeft leuk haar, ziet ze.

Als hij overeind komt, kijkt hij haar nieuwsgierig aan. 'We hebben elkaar geloof ik al een keer eerder gezien,' zegt hij.

Anne knikt. 'Eergisteren. Ik hoorde een hond blaffen en toen keek ik naar buiten.' Ze slaat haar ogen neer. 'Mijn broertje sliep net en ik was bang dat hij wakker zou worden.'

'Is dat zijn kamer?'

'Ja. Die van mij is aan de voorkant.'

'Hoe oud is je broertje?'

'Acht maanden. Hij heet Tim, maar we noemen hem altijd Timmie.'

'Leuke naam. En hoe heet jij?'

'Anne. En jij?'

'Stijn.'

Anne weet zo gauw niet wat ze verder moet zeggen. Bovendien verwarren zijn ogen haar. Daarom bukt ze zich en aait de hond. Het beest kijkt een beetje wantrouwig naar haar op. Vlug trekt ze haar hand terug. 'Braaf,' mompelt ze.

'Hij doet niks, hoor,' zegt Stijn. 'Hij moet je alleen even leren kennen.' Er speelt een scheef lachje om zijn lippen. 'Net als ik.'

Anne voelt hoe ze kleurt. Ze zet haar voet op de trapper. 'Ik moet ervandoor,' zegt ze.

'Waar ga je heen?'

'Naar de bibliotheek.'

Stijn kijkt op zijn horloge. 'Die is over vijf minuten dicht,' zegt hij. 'Dat haal je nooit meer.'

Beduusd kijkt Anne hem aan. 'In Den Haag is hij op zaterdag altijd tot vier uur open.'

'Hier niet. En maandag is hij ook dicht. Dinsdag is hij pas weer open.'

Teleurgesteld bijt Anne op haar lip. Wat moet ze al die tijd doen? Op dat moment blaft Ollie en hij trekt aan zijn riem.

'Ik denk dat hij nodig moet,' zegt Stijn. 'Hij zat daarnet al te piepen.'

'Waar laat je hem meestal uit?' vraagt Anne.

'In het bos hier verderop.' Stijn gebaart met zijn hoofd. 'Heb je zin om mee te gaan?'

Anne hoeft er niet lang over na te denken. 'Dan zet ik mijn fiets even weg,' zegt ze.

Een minuut later is ze terug. Als ze langs hun huis lopen kijkt ze steels naar binnen, maar er is niemand in de huiskamer. Voor geen goud wil ze dat Bas haar met Stijn ziet. Ze baalt steeds meer van zijn flauwe grappen over jongens. Dat mam en hij altijd zitten te flik flooien, betekent nog niet dat zij net zo is.

Onderweg naar het bos heeft Stijn het aldoor over zijn hond. Hoe waaks hij is en hoe slim en dat hij voor een hond van nog maar net een jaar best al gehoorzaam is. Even later lopen ze langs een hertenkamp. Ollie kijkt gebiologeerd naar de beesten. Stijn blijft staan.

'Hij zou er maar wat graag achteraan gaan,' zegt hij.

Terwijl ze naar de grazende herten kijken, drukt Ollie zijn neus tegen het hek aan en snuift opgewonden. Opeens springt hij. Stijn weet hem nog net terug te trekken.

'Dat scheelde niet veel,' zegt Anne, 'hij was er bijna overheen.'

'Ik had de riem goed vast, hoor,' zegt Stijn stoer, 'want ik zag het aankomen.'

Anne ziet dat hij geschrokken is. Zwijgend lopen ze het bos in. Net als Anne vindt dat de stilte wel erg lang gaat duren, vraagt Stijn opeens: 'Bevalt het huis jullie een beetje?'

'Hoezo?' Verschrikt kijkt Anne hem aan.

'Zomaar. Je moet ervan houden. Het is nogal ouderwets.'

'Binnen is het helemaal opgeknapt, hoor.'

Stijn lacht. 'Dat hebben we gehoord. We hebben wekenlang van het lawaai van de bouwvakkers kunnen genieten. Ze hadden de knop van hun radio op standje oorlog vastgemetseld.' Hij lacht. 'De spoken zijn er allemaal van op de vlucht geslagen.'

Annes hart slaat een slag over. 'Spookt het er dan?'

'Welnee, joh, ik maak maar een grapje.'

Anne weet niet wat ze ervan denken moet. Was het echt een grapje, of zei Stijn dat maar? Waren de vorige bewoners daarom soms verhuisd? Ze móét het weten.

'Ken je de mensen die voor ons in het huis hebben gewoond?' vraagt ze.

'Ja, natuurlijk,' antwoordt Stijn.

'Wat waren het voor mensen?'

'Heel aardig. Hoezo?'

'Zomaar, nieuwsgierig,' zegt Anne. 'Waarom zijn ze eigenlijk verhuisd?'

'Het huis was te groot voor ze geworden. Ze zijn al oud en niet meer zo goed ter been. Daarom hebben ze een appartement gekocht. Ze wonen hier niet zover vandaan.'

'Hebben ze kinderen?'

'Ja, drie geloof ik.'

'Ook een meisje?'

Stijn lacht een beetje verbaasd. 'Nee, hun kinderen zijn al volwassen. Die hebben zelf ook al kinderen. Eentje is ongeveer net zo oud als jij.'

Anne houdt haar adem in. 'Lijkt ze op me?' flapt ze er meteen uit.

'Ze?' Stijn trekt zijn wenkbrauwen op. 'Het is een jongen, hoor, en hij heet Floris. Vroeger speelde ik wel eens met hem.'

'O,' kan Anne alleen maar uitbrengen. Ze voelt zich onnozel. Wat moet Stijn niet van haar denken? Maar zijn gezicht verraadt niets. Hij raapt een tak op en breekt er een stuk af. Meteen komt de hond aangerend. Opgewonden springt hij heen en weer. Als Stijn de stok weggooit, stuift de hond erachteraan. Een ogenblik later laat hij hem voor zijn voeten vallen. Opnieuw gooit Stijn de stok weg.

Terwijl Anne naar het spel kijkt, gaan haar gedachten naar wat Stijn net vertelde. Voordat Bas het huis kocht, woonden er dus twee oude mensen in. Stijn leek niets te weten van de andere Anne en haar familie. Anne begrijpt er niets meer van. Zou ze het zich dan toch allemaal verbeelden? Of ziet zij hen alleen? Haar moeder en Bas zien de andere

Anne in elk geval niet. Ze krijgt het er opnieuw benauwd van. Stel je voor dat het toch geesten zijn die in hun huis rondwaren.

De stem van Stijn brengt haar terug in de werkelijkheid.

'Wil jij ook een keer?' Hij houdt haar de stok voor. Aarzelend pakt Anne hem aan. De hond springt wild om haar heen. Daarom gooit ze maar. De stok komt vlakbij in de bosjes langs het pad terecht. Een paar seconden later wordt hij voor haar voeten neergegooid. Ollie blaft oorverdovend.

'Je moet veel verder gooien,' zegt Stijn. Hij raapt de stok op en gooit hem het bos in. Met veel gekraak van takken springt Ollie erachteraan. Ze wachten, maar hij komt niet terug.

'Waar blijft hij?' vraagt Anne.

'Ik denk dat hij zijn stok aan het zoeken is,' antwoordt Stijn. 'Ik ga wel even kijken.' Hij werkt zich door het struikgewas heen en een ogenblik later is hij verdwenen. Anne blijft op het pad achter. 'Ollie!' hoort ze Stijn een paar keer roepen. Zijn stem verwijdert zich steeds verder. Ten slotte hoort ze hem niet meer. In de verte bromt zacht het verkeer.

Anne kijkt om zich heen. Ze heeft zich nooit op haar gemak gevoeld in een bos. Het is er altijd schemerig. In de schaduwen tussen de bomen kan zich van alles verbergen. Ze houdt meer van de openheid van de duinen en het strand. Ze tuurt het pad af. Het ligt er verlaten bij. Met dit warme weer zullen maar weinig mensen gaan wandelen, begrijpt ze. Het wachten duurt lang. Net overweegt ze om maar terug te gaan, als ze Stijn aan ziet komen.

'Ollie was ergens achteraan gegaan,' roept hij haar toe. Even later breekt hij door het struikgewas, de hond aan de lijn achter zich aan trekkend. 'Ik ben blij dat ik hem gevonden heb,' zegt hij hijgend. 'Hij liep vlak bij de weg. Ik mag van geluk spreken dat ik hem zag, anders was hij misschien overgestoken.'

'Gaat hij er wel eens vaker vandoor?' vraagt Anne.

'Ja.' Stijn schopt een steentje weg. 'Daarom mag ik hem ook niet loslaten. Mijn vader ontploft als hij het hoort.'

'Ik zeg niks,' zegt Anne.

Stijn werpt haar een dankbaar lachje toe. Er gaat een kriebeling door Annes buik en ze voelt dat ze kleurt.

'Ik wilde eigenlijk terug,' zegt ze, de andere kant op kijkend. 'Mijn moeder heeft geen idee waar ik ben.'

'In de bieb, toch?'

'O, ja.'

Stijn lacht. 'Kom,' zegt hij, 'dan gaan we via een andere route terug. Dan leer je het bos een beetje kennen.' Onderweg vertelt hij waar ze de hond vandaan hebben en dat hij hem voor zijn verjaardag heeft gehad.

'Dan moet je dus ergens begin oktober jarig zijn,' stelt Anne vast.

Verbaasd kijkt Stijn haar aan. 'Hoe weet je dat?'

'Je vertelde toch dat je hond net een jaar is? Toen je hem kreeg, moet hij ongeveer twee maanden oud zijn geweest, dus reken maar uit...'

Stijn is even sprakeloos. 'Slim, hoor,' zegt hij dan. 'Ja, ik wordt op 11 oktober veertien. Wanneer ben jij jarig?'

'Op 7 juni.'

'Dertien?'

Anne ziet hoe zijn ogen haar van top tot teen opnemen. Ze knikt.

'Dan ben ik dus acht maanden ouder,' zegt Stijn.

In zijn stem meent Anne iets van een plagerige ondertoon te bespeuren. 'Maar het is de vraag of je wijzer bent,' flapt ze eruit. Meteen heeft ze spijt van haar woorden, maar gelukkig lacht Stijn erom.

'Jij bent ook niet op je bekkie gevallen,' zegt hij.

Anne lacht alleen maar een beetje. 'Gaan jullie nog op vakantie?' vraagt ze om haar verwarring te verbergen.

Stijn schudt zijn hoofd. 'We zijn in het begin van de vakantie twee weken naar Frankrijk geweest; mijn vader kon niet langer weg, maar we gaan in de herfstvakantie nog ergens naar toe. Gaan jullie nog weg?'

'Nee. Bas heeft door de verbouwing bijna geen vakantiedagen meer over.'

'Bas?'

'Mijn stiefvader,' antwoordt Anne stroef.

In Stijns ogen verschijnt een peinzende blik, maar hij vraagt niet verder. Daarom begint Anne over de school waar ze over een paar weken naartoe gaat. Tot haar verrassing blijkt Stijn op dezelfde school te zitten, alleen gaat hij naar de tweede. Het maakt Anne opeens blij.

Straks heeft ze daar ten minste iemand die ze kent. Ze bekijkt hem heimelijk. Stijn is niet echt knap te noemen. Zijn blonde haar springt alle kanten op, maar hij heeft een leuk gezicht en zijn ogen zijn heel mooi. Met een half oor luistert ze naar zijn verhalen. Hij vertelt over zijn schoolkamp en over de leraren die mee waren, over de sportdag en over toen hij eruit werd gestuurd bij Engels. Zo te horen is het een leuke school.

Ongemerkt hebben ze het bos verlaten en lopen ze weer tussen de huizen. Als ze een poosje later een hoek omslaan, zijn ze terug in hun straat. Voor Stijns huis staan ze stil. Plotseling is het of Stijn niet meer weet wat hij moet zeggen. Hij buigt zich over zijn hond en klopt hem op zijn rug.

'Ik vond het heel aardig dat je vroeg of ik mee wilde lopen,' zegt Anne daarom maar. 'Zo leer ik de omgeving een beetje kennen.'

Stijn komt overeind. Anne ziet hoe een dieprode kleur vanuit zijn nek omhoog kruipt. Inwendig moet ze lachen.

'Morgen wilde ik Zeist in,' gaat ze verder. 'Een beetje winkelen en zo...'

'Morgen is het zondag,' valt Stijn haar in de rede.

Nu is het Annes beurt om een kleur te krijgen. 'Daar heb ik helemaal niet aan gedacht,' zegt ze. 'Is het geen koopzondag?' bedenkt ze dan.

'Nee.'

Opeens voelt Anne zich bedrukt. Wat moet ze morgen de hele dag doen?

Het is of Stijn haar gedachten heeft geraden. 'Er draait op het ogenblik een hele gave film in Figi,' zegt hij. 'Misschien heb je zin om mee te gaan?'

Een ogenblik heeft Anne de neiging hem om zijn hals te vliegen, maar ze doet het toch maar niet.

8

Dansend gaat Anne even later de trap op. Het leven ziet er opeens een stuk vrolijker uit. Zelfs haar kamer doet vrolijker aan. De zon schijnt tussen de bladeren van de boom in de voortuin naar binnen en tekent een vlekkerig patroon op de muur boven haar bureau. Anne gaat erachter zitten, zet haar computer aan en opent haar mailprogramma. Er komt alleen wat spam binnen. Niets van Marit. Annes opgeruimde stemming slaat om. Marit weet dat ze hier helemaal in haar eentje zit. Ze had gisteravond toch op zijn minst even kunnen mailen? Maar ze zal het wel te druk hebben met Sandra en met die Jelle.

Anne tuurt naar het beeldscherm. Of zal ze zelf een mailtje sturen? Opeens glimlacht ze. Als Marit haar de ogen probeert uit te steken met dat nieuwe vriendje van haar, dan kan zij dat ook. Ze opent een nieuw e-mail bericht.

Hoi,

Even een kort berichtje van mij. Ik heb net kennisgemaakt met mijn buur-jongen. Stijn heet hij. Niet superknap, maar hij heeft hele mooie ogen. Hij is veertien en zit op dezelfde school als waar ik naartoe ga. Ik ben helemaal weg van hem. Blijkbaar vindt hij mij ook leuk, want hij vroeg of ik morgen met hem naar de film wilde. Natuurlijk wilde ik dat en...

Opeens heeft Anne het gevoel dat ze niet alleen in de kamer is. Als ze over haar schouder kijkt, ziet ze de andere Anne staan.

'Wat moest jij met Stijn?' vraagt ze scherp.

Annes mond zakt open. Ze is te verbouwereerd om antwoord te geven.

'Ik heb jullie wel gezien hoor,' gaat de andere Anne verder. Met een verontwaardigd gezicht komt ze naar Anne toe. 'Je stond gewoon met hem te flirten.'

Anne is even sprakeloos. Na gisteren verwacht ze zo'n reactie niet. Daarom zegt ze een beetje verongelijkt: 'Ja, nou, en?'

'Stijn is míjn vriend,' antwoordt de andere Anne boos.

Anne kijkt verbijsterd naar haar op. 'Ken jij Stijn dan ook?' vraagt ze. 'Ja, natuurlijk. Hij zit bij mij op school, alleen een klas hoger. Sinds een paar maanden gaan we met elkaar.'

'Ja, maar... ja, maar...' stamelt Anne. 'Kunnen jullie dan met elkaar praten en kan hij jou ook zien?'

'Ja...' De stem van de andere Anne klinkt opeens onzeker.

Er klinkt een signaaltje dat er mail binnenkomt. Anne werpt even een blik op de pop-up die verschijnt. Het is een berichtje van Eline. Dan ziet ze hoe de andere Anne strak naar haar monitor kijkt.

'Ga je met Stijn naar de film?' vraagt ze opeens.

'Ja, hij vroeg of ik meeging.'

De andere Anne zegt niets. Op dat moment hoort Anne een bekend knappend geluid. Ze hoeft niet te kijken om te weten dat de andere Anne op haar nagels bijt. Weer zoiets! Zelf heeft ze het ook jarenlang gedaan, maar vorig jaar is ze ermee gestopt.

'Ik kon toch niet weten dat jij met Stijn ging?' verdedigt ze zich.

De andere Anne zucht. 'Nee, dat kon je ook niet weten, maar misschien zag Stijn jou voor mij aan.'

Anne schudt haar hoofd. 'Die indruk kreeg ik niet. Dat zou ik wel gemerkt hebben. Trouwens, hij vroeg hoe ik heette en hij noemde ook zijn eigen naam. Als hij dacht dat ik jou was, had hij dat toch niet gedaan? Hij kende me echt niet.'

Een hele tijd zeggen ze niets. Anne doet haar best om te begrijpen hoe het allemaal in elkaar zit. Als het waar is dat hij en de andere Anne met elkaar gaan, zou Stijn haar hebben moeten herkennen. Want sinds de andere Anne haar haar ook los heeft, zijn ze als twee druppels water. Maar Stijn leek geen weet te hebben van een andere Anne. Net zoals de twee families die in het huis wonen geen weet van elkaar lijken te hebben. Wel zijn er vreemde overeenkomsten. Niet alleen zij en de andere Anne lijken op elkaar, ook hun vaders en sinds gisteren is gebleken: ook de twee moeders. Maar er zijn ook verschillen. De moeder van de andere Anne leeft niet meer en de hare wel en de twee vaders zien er wat verschillend uit. Bovendien heeft de andere Anne een zusje en zelf heeft ze een broertje.

'Het is net of we in twee verschillende werelden leven,' zegt Anne opeens. 'En alleen wij kunnen elkaars wereld zien.'

De andere Anne loopt naar het raam en kijkt peinzend naar buiten. Dan zegt ze: 'Maar die werelden hebben op een of andere manier wel met elkaar te maken.'

'Hoe dan?'

'Door onze ouders. Toen jij mijn vader zag, dacht je dat het de jouwe was en je hebt zelf de foto van mijn moeder gezien.' De andere Anne slikt hoorbaar.

Anne duwt haar bureaustoel achteruit en gaat naast haar staan. 'En wat dacht je van ons?' vraagt ze. Ze kijken elkaar lang aan.

Dan haalt de andere Anne diep adem en zegt: 'Als we geen tweeling-zusjes zijn, wat zijn we dan van elkaar?'

Anne denkt diep na, maar ze heeft er geen antwoord op. 'Toch zien we er wel uit als een tweeling,' houdt ze aan. 'Vooral nu je je haar net zo hebt als dat van mij.'

De andere Anne knikt. 'Alleen is het of jij net een beetje langer bent dan ik. Maar dat kan ook komen door onze schoenen. Ik heb sanda-len aan en jij gympen.' Ze gaat vlak naast Anne staan.

Op dat moment moet Anne weer aan de griezelige ervaring van een paar dagen geleden denken. Ze deinst achteruit.

'Wat is er?' vraagt de andere Anne.

'N...niets,' hakkelt ze.

De andere Anne kijkt haar onderzoekend aan. 'Jawel, er is wel wat. Ik zie het aan je ogen. Je bent bang.'

Anne slikt. Dan besluit ze om het maar te zeggen. 'Weet je nog toen we het over onze haren hadden?'

'Ja. Je stak je hand naar mij uit en toen gilde je opeens. Meteen daarna rende je weg. Ik begreep er niets van.'

'Dus je hebt het niet gevoeld?'

'Wat?'

'Dat ik jou aanraakte.'

De andere Anne schudt van nee.

'Ik wilde weten of jouw haar net zo zacht was als dat van mij,' gaat Anne verder. 'Ik wilde het aanraken, maar ik voelde niets.'

'Hoe kan dat nou?'

'Dat weet ik ook niet.' Anne haalt diep adem. 'Mijn hand ging gewoon door je haar heen en… en daarna dwars door je gezicht.'

De andere Anne kijkt haar ongelovig aan.

'Het is echt waar, hoor,' zegt Anne, 'Ik verzin het heus niet.'

De andere Anne laat haar hand door haar haren gaan en betast daarna haar gezicht. 'Het voelt toch allemaal heel echt aan,' zegt ze.

'Ja, voor jou, maar als ik je aanraak niet.' Anne rilt.

'En andersom? Wat gebeurt er als ik jou aanraak?' De andere Anne steekt haar hand al naar haar uit, maar Anne springt achteruit.

'Blijf uit mijn buurt,' roept ze angstig. 'Je weet niet half hoe eng het is.' Opeens denkt ze aan de ervaring met het bureautje van de andere Anne. 'Volgens mij geldt het ook voor voorwerpen. Weet je nog die kras in jouw bureautje? Ik ging er met mijn vingers overheen, maar ik voelde niets. Geen kras, geen hout, niets. Echt doodeng. Ik vraag me af of het bij jou ook zo is.'

'Je bedoelt dat ik jouw bureau ook niet voel als ik het aanraak?'

'Ja. Mijn bureau, of mijn computer, het maakt niet uit.'

De andere Anne draait zich om en kijkt naar de monitor. Het beeldscherm is op de screensaver gesprongen. Aarzelend steekt ze haar hand ernaar uit, maar als haar vingertoppen in de monitor verdwijnen, trekt ze haar hand haastig terug. 'Jasses,' griezelt ze.

'Jij hebt het dus ook!' roept Anne. 'Ik dacht al dat ik gek was, dat ik het me verbeeld had.' Van opluchting klapt ze in haar handen.

De andere Anne staart nog steeds met angstige ogen naar de monitor. 'I…ik voelde niets,' stottert ze. 'M…maar het deed ook geen pijn.'

'Probeer eens een toets in te drukken zodat de screensaver verdwijnt,' zegt Anne opgewonden.

De andere Anne doet een stap achteruit en schudt haar hoofd. Pas na lang aandringen probeert ze het. Er gebeurt niets. 'Ik voel het hele toetsenbord niet,' fluistert ze benauwd. 'Ik vind het allemaal behoorlijk eng.'

'Anne knikt. 'Ik ook.'

Ze kijken elkaar een beetje wantrouwig aan.

'Soms denk ik wel eens dat jij een spook bent,' zegt de andere Anne opeens.

'Dat heb ik ook wel eens van jou gedacht.' Plotseling herinnert Anne zich iets dat ze ooit eens gehoord heeft. 'Volgens mij hebben spoken geen spiegelbeeld,' zegt ze. 'Kom eens mee.' Ze wil naar de spiegel lopen, als er buiten op de gang gestommel klinkt, gevolgd door een harde bonk tegen haar deur. Verschrikt springt Anne achteruit. Om haar evenwicht te bewaren wil ze in een reflex de arm van de andere Anne pakken, maar ze grijpt in het niets. Daardoor valt ze achterover met haar rug tegen de rand van haar bed. Ze slaakt een kreet van pijn.

Op dat moment gaat de deur open en komt Bas de kamer in. 'Sorry,' zegt hij, 'ik struikelde en… Wat is er met jou?' onderbreekt hij zichzelf. Zonder op antwoord te wachten zet hij de gereedschapskist die hij in zijn hand heeft op de grond en loopt naar Anne toe. Hij laat zich naast haar op zijn hurken zakken. 'Wat is er gebeurd?' vraagt hij.

'Ik ben gevallen.' Schichtig gluurt Anne naar de andere Anne. Die staat als aan de grond genageld en strijkt verbouwereerd met haar hand over haar arm.

'Heb je je pijn gedaan?' vraagt Bas.

'Mijn rug,' kan Anne er alleen maar uitbrengen. Ze probeert overeind te komen, maar Bas houdt haar tegen.

'Niet bewegen,' zegt hij. 'Misschien heb je een ruggenwervel beschadigd.'

'Zo erg is het helemaal niet,' protesteert Anne.

'Dat weet je nooit. Met een rug moet je voorzichtig zijn. Waar viel je precies tegenaan?'

'Tegen de rand van mijn bed.'

'Heb je erg veel pijn?'

'Gaat wel.'

'Moet ik een dokter bellen?'

'Alsjeblieft zeg…'

'Hoe kwam het eigenlijk dat je viel?'

'Ik schrok van die bons op mijn deur.'

'Het spijt me,' zegt Bas. 'Ik kon er niets aan doen. Ik ging de trap op, maar door die zware gereedschapskist struikelde ik over de laatste tree. Daardoor viel ik tegen jouw deur aan en nu zit er een deuk in. En hij zat net zo mooi in de verf.' Hij glimlacht een beetje zuur.

Anne kijkt langs hem naar de deur, maar ze kan de deuk niet zien.

'Kun je op je bed komen?' vraagt Bas.

'Jawel.'

Als hij haar overeind wil helpen, duwt ze zijn hand weg. Even later zit ze op haar bed met haar rug tegen een stapel kussens aan.

'Gaat het zo?' vraagt hij. 'Dan hang ik intussen even je spiegel op.'

Anne doet haar mond al open om te zeggen dat ze dat zelf wil doen, maar ze sluit hem weer. Laat hij het maar doen. Ze kijkt hoe Bas het stapeltje boeken opzijschuift en de zware spiegel tegen de boekenkast zet. Daarna haalt hij een rolmaat uit zijn zak en begint te meten. Met een potlood zet hij streepjes op de muur. Terwijl hij daarmee bezig is, kijkt Anne naar de andere Anne die nog steeds bewegingloos bij het bureau staat. Pas als Bas zich over zijn gereedschapskist buigt om zijn boormachine te pakken, loopt ze vlug de kamer uit. Bas ziet niets. Even later dreunt het lawaai door de kamer. Wolken steenstof dalen langzaam naar de grond.

Dat moet ik zeker weer opruimen, denkt Anne. Maar tegelijk voelt ze iets van bewondering voor de zelfverzekerdheid waarmee Bas te werk gaat. En dat irriteert haar dan weer.

Tien minuten later hangt de spiegel op zijn plaats en heeft Bas zijn gereedschapskist weer ingepakt.

'Ik kom zo wel even de rommel opruimen,' zegt hij.

'Dat hoeft niet,' zegt Anne stroef. 'Ik pak straks de stofzuiger wel even.'

'Met je rug zeker.' Bas schudt zijn hoofd. 'Doe dat maar niet. Bovendien kan de motor van de stofzuiger niet tegen steenstof. Je kunt het beter met een vochtig doekje weghalen.' Hij pakt zijn gereedschapskist op.

'Bedankt, hoor,' zegt Anne vlak voordat hij de kamer uit loopt.

'Graag gedaan,' antwoordt Bas. Als hij op de gang is, draait hij zich nog even om. 'Met wie praatte je daarnet eigenlijk?'

De vraag overvalt Anne. 'Wanneer?'

'Voordat ik zowat je kamer binnenviel.' Bas grijnst.

Anne weet even niet wat ze moet zeggen. Zou hij de andere Anne hebben gehoord, of...? Plotseling meent ze het te begrijpen. 'Je hebt aan mijn deur staan luisteren!' roept ze ineens woedend. 'Je dééd gewoon of je struikelde, maar je stond er al de hele tijd! Je bent gewoon een stiekemerd! Ik wist het wel! Je...' Abrupt sluit ze haar mond. Bas heeft de deur met een klap achter zich dichtgeslagen.

9

Als de volgende ochtend de voordeur achter Bas en haar moeder dicht-
slaat, zucht Anne opgelucht. Eindelijk even geen toestanden. Eindelijk
rust. Ze hebben Timmie in zijn wandelwagentje meegenomen. Bas wil
mam de omgeving laten zien en is van plan een grote wandeling te
maken. Hij vroeg nog of ze meeging, maar ze zei dat ze thuis wilde
zijn voor het geval Stijn zou bellen om iets af te spreken over de film.

Eigenlijk was dat niet de enige reden. Ze schaamde zich voor haar
uitval van gisteren. Misschien had ze Bas haar excuses moeten aanbie-
den, maar ze kon de woorden niet over haar lippen krijgen. Daardoor
was de sfeer tijdens het ontbijt gespannen. Ze had zich vergist. Bas
had niet aan de deur staan luisteren. Hij was echt gestruikeld. Hij had
de grote blauwe plek op zijn scheenbeen laten zien, waarmee hij tegen
de bovenste tree aan was gekomen.

Met een bruuske beweging zet ze haar melkbeker in de vaatwasser.
Dan gaat ze de trap op. Vaag verwacht ze de andere Anne tegen te
komen, maar ze is nergens te bekennen. In haar kamer zet ze haar
computer aan. Gisteravond heeft ze het berichtje aan Marit nog afge-
maakt en verstuurd. Ook Eline heeft ze teruggemaild. Maar als ze
haar mailprogramma opent, is er nog geen antwoord. Marit zal het
wel weer te druk hebben met haar nieuwe vriendje en Eline zal wel
geen gelegenheid hebben gehad. Die zou met haar ouders een berg-
wandeling gaan maken.

Gingen zij ook maar met vakantie. Desnoods met Bas erbij. Maar
het opknappen van het huis was duurder geweest dan ze gedacht
hadden. Een vakantie zat er dit jaar dus niet meer in, had mam
gezegd. Vorig jaar waren ze ook al niet weg geweest. Toen liep mam
met een dikke buik.

Hoe komt ze de tijd door? Vanaf vandaag duurt het nog drie weken
voordat haar nieuwe school begint. Meteen moet ze weer aan Stijn
denken. Hij is het enige lichtpuntje op dit ogenblik.

Opeens hoort ze beneden de telefoon gaan. Ze springt overeind. Daar zal je hem hebben! Ze rent haar kamer uit, vliegt de trap af en grist de telefoon van de oplader.

'Met Anne,' zegt ze buiten adem.

'Dag meisje.' Het is de stem van haar vader. 'Ik bel je maar eens even om te horen hoe het je bevalt in Zeist.'

'O, wel goed.' Anne hoort zelf hoe teleurgesteld haar stem klinkt.

'Toch geen narigheid?'

'Nee, hoor.'

'Is je kamer al helemaal op orde?'

'Ja, er staan alleen nog een paar dozen. Die breng ik straks even naar de garage. Dan is hij klaar.'

'En die grote spiegel van oma? Is die heel overgekomen?'

'Ja, hoor. Hij hangt al tegen de muur.'

'Heb je die zelf opgehangen?'

'Nee.' Anne aarzelt even. 'Dat heeft Bas gedaan.'

'Dat is aardig van hem.'

'Hmm,' reageert Anne alleen. Ze zwijgt.

'Heb je zin om voordat we op vakantie gaan een paar dagen bij ons te komen logeren?' vraagt haar vader.

Anne ziet Suzan weer voor zich met haar kunstmatige glimlachje. Samen winkelen. Ze moet er niet aan denken. Opeens herinnert ze zich haar vage afspraak met Stijn.

'Ik kan niet, pap,' zegt ze. 'Ik heb met iemand afgesproken. Vanavond gaan we naar de film en eh… morgen gaan we zwemmen en we zouden ook nog gaan fietsen.' De leugentjes rollen als vanzelf uit haar mond.

'Dat is leuk. Dus je hebt daar al een vriendin. Iemand uit de buurt?'

'Eh… ja… Hij woont hiernaast.' Ze heeft het eruit geflapt, voor ze er erg in heeft: *hij*…

Het blijft even stil aan de andere kant van de lijn. 'Je bedoelt dat het een jongen is?' De stem van haar vader klinkt terughoudend.

'Ja, is daar wat mis mee?'

'Nee, natuurlijk niet. Je hebt de leeftijd voor een vriendje, maar ik…' Hij krijgt niet de tijd om uit te spreken.

'Het is helemaal niet mijn vriendje,' valt Anne tegen hem uit. 'Het is gewoon mijn buurjongen. Ik kwam hem toevallig tegen en we raakten aan de praat. Je hoeft er heus niets achter te zoeken, hoor.'

Haar vader lacht, wat haar nog bozer maakt.

'Ik heb hier gewoon niemand anders. Mam en Bas zijn vandaag ook weer weg. Ik ben dus allang blij dat er iemand is waar ik mee kan praten.'

'Is die jongen soms bij je?'

'Nee, hoe kom je daarbij?' vraagt ze beledigd. 'Ik ben hier helemaal alleen.' Opeens denkt ze aan de andere Anne. Ze heeft haar vandaag nog niet gezien, maar voor de zekerheid kijkt ze toch even om zich heen.

'En Timmie?'

'Die is met mam en Bas mee. Ze zijn de omgeving aan het verkennen. Ze gingen een wandeling maken.'

'Waarom ben je niet meegegaan?'

'Ik had er geen zin in. Veel te warm.'

'En vanavond ga je naar de film,' zegt haar vader half vragend.

'Ja.'

'Naar welke?'

'Dat weet ik nog niet. Dat zou Stijn uitzoeken.'

'Heet hij Stijn?'

'Ja, en houd er nou maar over op.' Opeens denkt ze weer aan de vreemde vrouw die ze in de huiskamer heeft gezien. 'Ken jij soms iemand die Paula heet?' Ze schrikt van haar eigen vraag.

Aan de andere kant van de lijn blijft het even stil.

'Nee,' zegt haar vader dan.

'Ze heeft kort donker haar en bruine ogen.' Opnieuw valt er een stilte.

'Nee, ik ken geen Paula. Hoe heet ze van haar achternaam?'

'Dat zei ze niet.'

'Nou, daar heb ik dan niet veel aan. Trouwens, waarvan zou ik haar moeten kennen?'

Annes hart klopt opeens in haar keel. Wat moet ze zeggen?

'Ze was bij de buren op bezoek,' verzint ze gauw, 'en ze zei dat ze je wel eens had ontmoet.'

'Hmm,' bromt haar vader. 'Ik ben me van geen kwaad bewust.' Hij grinnikt. 'Is ze mooi?'

'D…daar heb ik niet zo op gelet,' hakkelt Anne.

'Nee, dat begrijp ik.' Haar vader grinnikt opnieuw. 'Jij had natuurlijk alleen maar oog voor die Stijn.'

'Leuk hoor,' moppert Anne.

Haar vader lacht plagerig. 'Als je die Paula nog eens ziet, doe haar dan de groeten van me.'

'Dat zal ik doen.' Op de achtergrond hoort Anne de stem van Suzan.

'Suzan roept me,' zegt haar vader. 'Ik bel nog wel een keer voordat we op vakantie gaan. Daarna zal ik proberen je te mailen. In het hotel zullen ze wel internet hebben.'

'Ja, dat is goed.'

Ze nemen afscheid en Anne zet de telefoon terug in de lader. Wat zal ze gaan doen? Ze kan niet weg, want ze wil Stijn niet mislopen. Misschien kan ze hem bellen. Maar dan bedenkt ze dat ze zijn nummer niet heeft. En opzoeken in het telefoonboek gaat ook niet, want ze weet niet hoe hij van zijn achternaam heet. Ze zucht. Ze kan natuurlijk gewoon even bij hem aanbellen. Maar als zijn vader dan opendoet, of zijn moeder…? Misschien doet zijn broer de deur wel open. Dan moet ze vragen of Stijn thuis is. Ze weet zeker dat ze dan gaat stotteren.

Om moed te verzamelen, loopt ze een paar maal de kamer op en neer en repeteert wat ze zal zeggen. Ze krijgt er een droge mond van, daarom gaat ze naar de keuken om iets te drinken te halen.

In de deuropening blijft ze verstijfd staan. Achter een witte keukentafel staat een elektrische rolstoel. Er zit een meisje in. Op een stoel tegenover haar zit, met haar rug naar Anne toe, de andere Anne. De twee meisjes zijn verdiept in een spelletje memory.

Anne durft zich nauwelijks te bewegen. Is dat Sanne? Ze heeft een fijn getekend gezichtje met opvallend grote ogen. Haar blonde haar hangt in twee vlechtjes op de keukentafel.

'Nou jij, Sanne,' zegt de andere Anne. Sanne buigt zich naar voren en draait met schokkerige bewegingen twee kaartjes om.

'Alweer goed!' roept ze. 'Nu mag ik toch nog een keer?'

'Ja, altijd als je een dubbele hebt gevonden.'

Sannes arm beweegt onzeker over de rijen kaartjes die op tafel liggen. Na lang zoeken draait ze er eentje om. 'Hé, het visje. Waar ligt het andere ook al weer?' Sanne praat moeizaam, hoort Anne. Haar mond hangt een beetje scheef, maar het geeft haar gezicht iets heel liefs. Anne laat haar blik door de keuken dwalen. Hij ziet er heel anders uit en ook hangt er weer die vage mist. Ze begint het al bijna normaal te vinden.

'Wil je wat drinken?' vraagt de andere Anne opeens.

Precies tegelijk met Sanne geeft Anne antwoord. 'Ja, graag.' Verschrikt slaat Anne haar hand tegen haar mond.

De andere Anne draait zich abrupt om. 'Ik wist niet dat je daar stond,' zegt ze.

Sanne kijkt op. 'Tegen wie heb je het?' vraagt ze.

'Eh… tegen niemand,' antwoordt de andere Anne. 'Ik dacht dat ik iemand zag staan.'

Anne stapt de keuken in. 'Is dat je zusje, waar je het laatst over had?' vraagt ze.

De andere Anne knikt kort. Meteen schuift ze haar stoel naar achteren en staat op. Even later zet ze een glas sap voor Sanne neer.

'Ik moet even naar de wc,' zegt ze. 'Zoek jij intussen maar naar het andere visje.' Terwijl ze de keuken uit loopt, gebaart ze onopvallend dat Anne mee moet komen. Bij de open wc-deur wacht ze op haar. 'Ga jij maar op het deksel zitten,' fluistert ze, 'dan blijf ik hier bij het fonteintje staan.'

Anne aarzelt. Het toilet is ruim genoeg, maar toch kan ze hier nauwelijks afstand houden tot de andere Anne. Ze wil niet nog eens meemaken dat haar arm dwars door haar heen gaat.

'Schiet nou op,' dringt de andere Anne aan. 'Ik kan Sanne niet zo lang alleen laten.'

Anne vat moed en glipt langs haar heen. Ze gaat in de hoek naast de wc-pot staan, zover mogelijk van de andere Anne vandaan.

'Ik kon je geen antwoord geven daarnet,' fluistert de andere Anne als ze de wc-deur heeft gesloten. 'Tenminste niet waar Sanne bij is. Ze vindt het heel vervelend als ik over haar praat en zeker tegen iemand die ze niet kan zien.' Ze lacht een beetje nerveus. 'Bovendien denkt ze dan vast dat ik gek ben.'

Anne weet niet goed wat ze moet zeggen. 'Ze heeft mooie ogen, je zusje,' zegt ze daarom maar.

De andere Anne knikt. 'Dat zegt iedereen.'

'Hoe oud is ze?' vraagt Anne verder.

'Elf. Ze is twee jaar jonger dan ik.'

'Dan heeft zij je moeder dus ook niet gekend.'

'Nee. Ze is geboren na het ongeluk.'

Anne hapt naar adem. 'Hoe...hoe kan dat nou?' stamelt ze.

'Mijn moeder was acht maanden zwanger toen ze dat ongeluk kreeg. In het ziekenhuis hebben de dokters Sanne toen hals over kop met een keizersnee gehaald. Daarna hebben ze nog geprobeerd om mijn moeder te redden, maar ze was te zwaar gewond.'

'Wat afschuwelijk,' kan Anne er alleen maar uitbrengen.

De andere Anne knikt. 'Later bleek ook nog eens dat Sanne hersen-letsel had opgelopen door de klap. Dat maakte het extra zwaar voor mijn vader.'

'Voor jou dan niet?'

'Ik kan me van de tijd na het ongeluk weinig herinneren. Ik was pas twee toen het gebeurde. Alles wat ik ervan weet, heb ik van mijn vader.'

Anne is er een poosje stil van. 'Wie zorgde er toen voor jou?' vraagt ze ten slotte.

'Mijn oma, de moeder van mijn vader. Ze trok tijdelijk bij ons in om mij te verzorgen en toen Sanne uit het ziekenhuis kwam, zorgde ze ook voor haar. In de weekeinden ging ze dan naar haar eigen huis om haar planten water te geven en de post op te halen.'

'Dat moet niet makkelijk voor haar zijn geweest.'

De andere Anne schudt haar hoofd. 'Mijn andere oma en opa wilden ook wel voor ons zorgen, maar je begrijpt dat dat wat moeilijk lag.'

Anne fronst.

'Mijn vader was de schuld aan de dood van hun dochter,' gaat de andere Anne daarom verder. 'Ze wilden hem liever niet meer zien, maar mij en Sanne wel. Ze kwamen dan langs als mijn vader naar zijn werk was. Dat vond mijn andere oma best moeilijk. Daarom zijn we een jaar later naar Zeist verhuisd.'

'Waarom naar Zeist?'

'Omdat mijn oma daar woonde.'

'De moeder van je vader?' vraagt Anne ademloos.

'Ja. Zij heeft tot twee jaar geleden voor ons gezorgd en toen overleed ze plotseling.'

Het duizelt Anne opeens. 'Mijn oma woonde ook in Zeist,' zegt ze, 'en ze is ook twee jaar geleden doodgegaan.'

De andere Anne bijt gespannen op haar nagels.

Anne hoeft de vraag eigenlijk niet eens meer te stellen. Toch doet ze het. 'Waar woonde jouw oma?'

'In de Bilderdijklaan, alleen weet ik niet meer welk nummer.'

'Mijn oma woonde daar ook.'

'Anne!' klinkt de stem van Sanne opeens luid. 'Waar blijf je nou?'

De andere Anne opent de deur op een kier. 'Ik moet poepen! Ik kom zo.' Ze sluit de deur weer.

Anne krijgt het steeds benauwder. Daarom begint ze maar over iets anders. 'Waar is je vader eigenlijk?'

'Die is met Paula naar een tentoonstelling in Utrecht. Ze zouden tegen twee uur terugkomen. Ik hoop wel dat ze op tijd zijn, want ik heb met Stijn afgesproken om te gaan zwemmen in het Henschotermeer.'

'Hè?' flapt Anne eruit, maar de andere Anne lijkt het niet te horen.

'Als het zulk mooi weer is, is het er heerlijk,' gaat ze verder. 'We blijven er de hele rest van de dag en ik hoef pas om acht uur thuis te zijn.'

Anne zegt niets. *Zij* zou toch met Stijn naar de film gaan? Op dat moment gaat er een onzinnige gedachte door haar hoofd: stel je voor dat er ook twee Stijns zijn? Maar ze heeft geen tijd om erover na te denken, want vanuit de keuken komt de benauwde stem van Sanne.

'Anne! Mijn glas is omgevallen!'

'Ik moet naar mijn zusje toe,' zegt de andere Anne. Voordat Anne iets terug kan zeggen is ze de wc uit.

Verward staat Anne even later in de gang. Zal ze naar haar kamer gaan? In elk geval niet naar de keuken. Ze heeft even genoeg van de andere Anne. Terwijl ze weifelend onderaan de trap staat, gaat de bel. Met een ruk draait ze zich om. Achter het gebobbelde glas van de deur is een tengere figuur zichtbaar. Haar hart slaat een slag over.

'Hé, Stijn,' zegt ze verrast als ze de deur open doet.

Hij lacht. 'Dacht je soms dat ik het vergeten was?'

'Ja, eh…, nee, ik bedoel…' Anne voelt dat ze een hoofd krijgt als een biet.

Stijn lijkt even onzeker. 'Je gaat toch wel mee vanavond?' vraagt hij. 'Ik heb kaartjes gereserveerd voor de voorstelling van acht uur. We moeten ze voor half acht ophalen, anders…'

'We zouden toch gaan zwemmen?' klinkt opeens de stem van de andere Anne. Ze komt naast Anne staan. 'We zouden naar het Henschotermeer gaan.'

'Je mag toch wel van je ouders?' vraagt Stijn.

'Ik?' vraagt Anne.

'Ja jij, wie anders?' Hij kijkt haar een beetje bevreemd aan.

Op dat moment beseft Anne dat Stijn de andere Anne niet ziet en dat hij haar ook niet heeft gehoord. 'Ja, natuurlijk mag ik naar de film. Maar kom even binnen.' Anne doet de deur wat wijder open.

'Nee, ik kan niet. Ik heb de overbuurman beloofd om hem te helpen met zijn computer. Hij loopt aldoor vast. Maar als je vanavond om zeven uur klaarstaat, dan kunnen we vooraf nog even wat drinken.'

'Gaan we op de fiets?' vraagt Anne.

'Nee, het is nog geen tien minuten lopen.'

'Zal ik naar jou toekomen?'

'Nee, ik kom jou wel ophalen. Kunnen je ouders meteen zien met wat voor griezel je uitgaat.' Stijn grijnst.

Anne lacht alleen maar een beetje.

'Tot vanavond dan.' Terwijl hij zich omdraait steekt hij zijn hand nog even op.

Anne wacht tot hij de voortuin uit is, dan doet ze de deur dicht. Ze kijkt naar de andere Anne. 'Ik kan me vergissen, maar het lijkt wel of er ook twee Stijns bestaan,' zegt ze.

10

Het is half twaalf als Anne in bed ligt, maar ze kan de slaap niet meteen vatten. Ze moet aldoor aan Stijn denken. Precies om zeven uur had hij aangebeld. Terwijl hij wachtte tot ze haar jasje had gepakt, gaf hij mam en Bas een hand. Gelukkig had Bas geen stomme opmerkingen gemaakt, maar toch wilde ze zo snel mogelijk weg. Ze hoopte dat het geen rare indruk had gemaakt op Stijn. En als dat wel zo was, dan liet hij het niet blijken. Onderweg vertelde hij over de overbuurman die voor het eerst een computer had aangeschaft. Hij was al oud, maar deed vreselijk zijn best om het nog te leren. Om de haverklap riep hij Stijns hulp in. Aan de manier waarop Stijn erover sprak, begreep Anne dat hij het niet erg vond.

Bij de kassa lagen de kaartjes al klaar. Stijn had ze allebei willen betalen, maar dat wilde ze niet. Toen ze even later wat gingen drinken, rekende híj toch ongevraagd voor hen beiden af. Ze had er niets van durven zeggen.

Terwijl ze aan een tafeltje hun cola opdronken, stokte hun gesprek telkens. Om te verbergen hoe opgelaten ze zich daarover voelde, deed Anne of ze geïnteresseerd naar de mensen om zich heen keek. Iedereen zat gezellig praten. Alleen zij wist niks te zeggen. Ze was dan ook opgelucht toen ze de zaal in konden. Ze hadden mooie plaatsen, bijna recht voor het doek. Twee rijen voor hen schoven twee meisjes voorbij. Ze keken naar Stijn en fluisterden even met elkaar. Hij groette hen; het waren twee meisjes uit zijn klas, vertelde hij.

Toen het licht doofde ging Stijn wat gemakkelijker zitten, waarbij zijn arm opeens de hare raakte. Ze krijgt het er nog warm van. Zou dat per ongeluk zijn gebeurd, of was het opzet? Achteraf denkt ze het laatste, want tijdens de film keek hij telkens heimelijk naar haar, maar als ze haar hoofd in zijn richting draaide, keek hij vlug weer voor zich. Door dat alles had ze de helft van de film niet gezien.

77

In de pauze waren ze in de zaal blijven zitten. De twee meisjes uit Stijns klas gluurden nieuwsgierig naar haar, terwijl ze naar de uitgang schuifelden. Ze deed of ze het niet zag. Toen ze niet meer op hoefde staan voor mensen die erlangs wilden, stelde ze de vraag die ze tijdens de film had bedacht: 'Houd jij eigenlijk van zwemmen?'

'Jawel,' had Stijn geantwoord. 'Maar niet in een zwembad.'

'Wel in zee?'

'Ja.' Stijn had even gelachen. 'Maar we hebben hier niet veel zee. We hebben hier wel een meer: het Henschotermeer. Dat is bijna net zo mooi. Er is een breed zandstrand, alleen zijn er geen golven.'

Waar ze op gehoopt had gebeurde: Stijn had haar gevraagd of ze zin had er morgen met hem heen te gaan. Opnieuw voelt ze zich helemaal blij worden van binnen.

Ze hadden er de hele pauze over gepraat. Vlak voordat de film weer begon had Anne het gewaagd Stijn te vragen wanneer hij er voor het laatst was geweest. Zonder aarzeling had hij geantwoord dat het ergens in mei was geweest, met een aantal klasgenoten. Het moest dus wel een andere Stijn zijn die vanmiddag met de andere Anne was gaan zwemmen...

Na afloop van de film waren ze nog wat gaan drinken op een terrasje. Het was een zwoele avond en de warmte van de dag hing nog tussen de huizen. Zo nu en dan zeiden ze wat, maar ze zwegen nog vaker. Deze keer voelde ze zich helemaal niet opgelaten. Ze voelde zich juist ontspannen, alsof ze elkaar al heel lang kenden. Als ze zich op haar zij draait, ruikt ze opeens Stijns geur en met een glimlach op haar gezicht slaapt ze in.

De volgende ochtend wordt Anne wakker van haar klokradio die aanspringt. Half negen! Het duurt even voordat het tot haar doordringt dat ze niet naar school hoeft. Opeens weet ze het weer: Stijn komt haar om half elf ophalen! Ze springt uit bed en trekt de gordijnen open. Er drijven een paar pluizige wolken door de lucht, maar het is nog steeds schitterend weer. Ze opent haar kast en kijkt besluiteloos naar haar kleren. Wat moet ze aantrekken? Dat roze topje? Maar misschien is dat te bloot. Ze trekt een blauw shirtje uit de stapel. Te truttig en te braaf. Ze gooit het achter zich op bed. Een gebloemd

T-shirt en een zwart topje volgen dezelfde weg. Tenslotte kiest ze voor een paars hemdje en een witte broek.

Als ze op haar klokradio kijkt, ziet ze dat het inmiddels kwart voor negen is. Ze moet opschieten. Op weg naar de badkamer bedenkt ze wat ze allemaal nog moet doen: douchen, haar badtas inpakken, brood en drinken klaarmaken...

In de deuropening komt haar een wolk van stoom tegemoet. Bas natuurlijk weer, denkt ze. Maar meteen realiseert ze zich dat dat niet kan. Hij is naar zijn werk.

'Schiet je op, mam,' zegt ze. 'Ik wil ook nog douchen.'

De deur van de douchecabine schuift open en het gezicht van de andere Anne verschijnt. 'Ik ben zo klaar,' zegt ze.

Anne ziet verbouwereerd hoe de deur weer dichtschuift. Nu moet het toch niet gekker worden, denkt ze. Dat de andere Anne hier rondloopt, is tot daar aan toe, maar dat ze ook de douche gebruikt... Dan pas ziet ze dat er andere tegels op de muur zitten en ook de rest van de badkamer is anders, ouderwetser.

Terwijl ze verbaasd om zich heen staat te kijken, hoort ze hoe de kraan wordt dichtgedraaid. Het badlaken wordt van de bovenrand van de douchecabine getrokken. Anne ziet door het matglas hoe de andere Anne zich afdroogt. Even later komt ze gehuld in het badlaken de douchecel uit.

'Ik moet opschieten,' zegt Anne wat kortaf. 'Ik ga zo met Stijn naar het Henschotermeer.'

De andere Anne lijkt even uit het veld geslagen. 'Daar ben ik gisteren ook geweest,' zegt ze dan. 'Met Stijn.' Opeens verschijnt er iets triomfantelijks in haar ogen. 'We waren pas om acht uur terug,' voegt ze eraan toe.

'Acht uur?' herhaalt Anne. 'Toen zat ik met Stijn in de bioscoop.'

Een hele tijd kijken ze elkaar beduusd aan.

'Dat is het bewijs,' zegt de andere Anne. 'Er zijn dus inderdaad twee Stijns.'

Het is vier uur als Anne thuiskomt. Als ze de gang in loopt, komt haar moeder net met Timmie de trap af. 'Hoe was het daar, lieverd?' vraagt ze.

'Heerlijk,' antwoordt Anne. 'Het Henschotermeer is prachtig. Bijna net zo mooi als de zee, alleen zijn er geen golven. Maar het water is er veel warmer en…'

'Wacht even,' onderbreekt haar moeder haar. 'Ik leg Timmie even in zijn box, dat praat makkelijker.'

Anne gooit haar badtas onder aan de trap. Uitpakken komt later wel. Ze loopt meteen door naar de wc. Even in haar eentje nagenieten van de heerlijke middag. Ze hebben gezwommen en gelachen. Ze hebben gekletst over van alles en nog wat. Maar vooral hebben ze dicht naast elkaar in de zon gelegen. Ze is stapelverliefd op Stijn. En hij op haar, of ze moet zich wel heel erg vergissen. Op de terugweg heeft ze nog even overwogen om te vragen of hij ook een andere Anne kent, maar dat heeft ze toch maar niet gedaan. Ze hijst haar broek op en trekt door.

'Je bent bruin geworden,' zegt haar moeder als ze de keuken binnen komt. Op het fornuis staat een fluitketel te razen. 'Heb je trek in thee?'

'Ja, lekker.' Anne gaat aan de keukentafel zitten.

'Leuke jongen, die Stijn,' zegt haar moeder terwijl ze in de weer is met theekopjes.

'Ja, hij is heel aardig,' zegt Anne tegen haar rug. Ze wil niet over Stijn praten. Ze wil hem nog even voor zichzelf houden. Daarom begint ze te vertellen over het meer, over het mooie zandstrand en de hoge dennen eromheen. 'Jullie moeten er ook eens met Timmie naar-toe gaan,' zegt ze. 'Ik denk dat hij het prachtig vindt.'

'Dat denk ik ook.' Haar moeder kijkt naar buiten. 'Als het nog mooi weer is, kunnen we er zaterdag misschien wel heen.' Ze zet een dienblad met twee dampende theekopjes op de keukentafel en gaat tegenover haar zitten. Opeens ziet Anne het beeld weer voor zich van Sanne. Haar moeder zit op precies dezelfde plek.

'Mam, ben je na mij nooit meer in verwachting geweest?' flapt ze er opeens uit.

Ze ziet haar moeder schrikken. 'Wat is dat nou voor een rare vraag. Timmie is er toch?' Mam roert nerveus in haar thee.

'Dat bedoel ik niet,' zegt Anne. 'Ik bedoel, wilden jij en pap na mij nog een kind hebben?'

'Hoe kom je dáárbij?' De stem van haar moeder klinkt verontwaardigd. 'Heeft je vader dat soms gezegd?'

'Nee.'

'Waarom vraag je dat dan?'

'Zomaar. Ik heb altijd graag een zusje willen hebben.'

Plotseling slaat haar moeder haar handen voor haar ogen en begint te huilen. Anne weet niet goed wat ze moet doen. Hulpeloos kijkt ze naar haar. Dan valt haar oog op een pakje papieren zakdoekjes dat op tafel ligt. Ze schuift het naar haar moeder toe. 'Hier, mam,' zegt ze alleen.

Haar moeder pakt er een zakdoekje uit. Ze wrijft ermee over haar ogen en snuit haar neus. 'Ik moet je iets bekennen,' begint ze opeens. 'Ik heb het je nooit verteld, je was nog zo klein…' Opnieuw snuit ze haar neus. 'Later, toen je wat ouder was, vond ik het te belastend voor je. Ik wilde…'

'Wát was te belastend voor me, mam?'

Annes moeder zucht diep. 'Je hébt een zusje gehad, lieverd. Maar…'

'Sanne,' flapt Anne eruit.

De mond van haar moeder valt open. 'Dus je vader heeft het je toch verteld.'

'Nee, hoe kom je erbij?'

'Hoe weet je haar naam dan?'

Anne hapt naar adem. 'Ik… ik weet het niet,' hakkelt ze. 'M… misschien heb ik oma en opa er wel eens over horen praten.'

Haar moeder schudt haar hoofd. 'Ik had ze nog zo op het hart gedrukt om er niet in jouw aanwezigheid over te praten.'

'Wat maakt het nou uit van wie ik het heb,' onderbreekt Anne haar. 'Ik wil alleen maar weten wat er is gebeurd.'

Haar moeder zucht. 'Sanne is kort na de geboorte gestorven.'

Anne is even sprakeloos. Wie was de Sanne dan die ze gezien heeft? Het meisje in de rolstoel leefde. Hoe kon het dan dat háár zusje dood was? Annes stem is schor van de spanning als ze vraagt: 'Waardoor is ze gestorven?'

Het duurt even voordat haar moeder antwoordt. 'Door een auto-ongeluk. Ik was toen negenendertig weken zwanger en door de klap is er iets misgegaan met het kindje.'

Anne kan het nauwelijks nog bevatten. De andere Anne had het ook over een auto-ongeluk, maar daarbij was haar moeder om het leven gekomen en niet Sanne. 'Wat is er dan precies gebeurd?' weet ze alleen uit te brengen.

'We zijn tegen een boom gereden.'

Anne probeert het zich voor te stellen. 'Zat ik ook in de auto?'

'Nee jij was thuis met de oppas. We waren naar een verjaardag van vrienden geweest en op de terugweg gebeurde het.'

'Hoe dan?'

Annes moeder knippert even met haar ogen. 'We vlogen uit de bocht. Het was een enorme klap. Verder kan ik me er niet veel van herinneren. Ik zat op de plek waar de auto de boom raakte en ik was zwaargewond. Mijn bekken was gebroken en ik had een geperforeerde long.'

'Wat is dat?'

'Er was een rib gebroken en die prikte dwars door mijn long heen. Ook had ik glassplinters in mijn gezicht. Je kunt de littekens nog steeds een beetje zien.' Haar moeder trekt haar haar opzij en draait de zijkant van haar hoofd naar Anne toe.

'En papa?' vraagt die.

'Je vader had alleen een gebroken sleutelbeen. Dat kwam door de autogordel.'

'En toen?'

'Ik ben in vliegende vaart naar het ziekenhuis gebracht. Ik was niet alleen ernstig gewond, maar door de klap was ook de placenta losgeraakt. Daarom hebben de artsen het kindje meteen met een keizersnee gehaald. Maar door zuurstofgebrek had ze een ernstige hersenbeschadiging opgelopen. Ze overleed enkele dagen later.'

Anne weet het niet meer. Het klopt niet met het verhaal van de andere Anne en toch weer wel. Bij haar was het alleen andersom. Haar moeder was gestorven en haar zusje had het ongeluk overleefd, maar wel met een hersenbeschadiging... Zat daar dan misschien de oplossing van het raadsel?

'Heb je lang in het ziekenhuis gelegen?' vraagt ze verder.

Haar moeder knikt. 'Bijna twee maanden. Ik had longontsteking gekregen en heb op het randje van de dood gezweefd, maar ik heb gevochten om beter te worden. Oma en opa zorgden weliswaar goed voor je, maar ik kon de gedachte niet verdragen dat jij zonder moeder zou opgroeien.'

Opnieuw gaan Annes gedachten naar de andere Anne. Zij is wel zonder moeder opgegroeid, en ze heeft ook nog eens een gehandicapt zusje. Maar ze heeft wel haar vader nog.

'Waarom zijn papa en jij daarna eigenlijk gescheiden?' wil ze weten.

Haar moeder schuift wat ongemakkelijk op de keukenstoel heen en weer. 'Dat weet je toch? Hij leerde Suzan kennen.'

'Dus terwijl jij in het ziekenhuis lag…'

In de huiskamer gaat opeens de telefoon. Tegelijk begint Timmie te huilen. Meteen staat Annes moeder op. 'Alles komt altijd tegelijk,' moppert ze. 'Sorry, maar we praten zo wel verder.'

'Zal ik de telefoon aannemen?' vraagt Anne.

'Ja, graag, dan kijk ik even bij Timmie.'

Anne haast zich naar de telefoon. 'Met Anne,' zegt ze een beetje hijgend.

'Met oma,' klinkt het aan de andere kant van de lijn. 'Ben je druk bezig?'

'Hè? Nee hoor. Mam en ik zaten in de keuken en de telefoon staat in de kamer.'

'Ik hoor Timmie huilen. Is er wat met hem?'

Anne kijkt naar haar moeder die Timmie net uit de box tilt. 'Nee, ik geloof het niet. Hij schrok denk ik een beetje van de telefoon.'

'O, gelukkig maar. Gaat het verder goed met hem?'

'Ja, hoor.' Anne zucht geluidloos. Iedereen vraagt altijd gelijk naar Timmie. Nooit naar haar.

'Zijn jullie al een beetje op orde?' vraagt oma verder.

'Jawel. Er moet nog een lamp in de huiskamer worden opgehangen en nog zo wat kleine dingen, maar verder zijn we klaar.'

'O, dat is mooi. We willen namelijk morgen langskomen. We zijn vreselijk benieuwd hoe het allemaal is geworden. Zou je aan mama willen vragen of het uitkomt?'

'Ja, een ogenblikje dan.' Ze legt haar hand over het microfoontje. 'Mam, oma aan de lijn. Ze willen morgen langskomen. Is dat goed?'

Haar moeder steekt haar hand naar de telefoon uit. 'Geef mij maar even,' zegt ze.

Anne neemt Timmie van haar over en gaat met hem op de bank zitten. Terwijl ze met haar broertje speelt, luistert ze met een half oor naar het telefoongesprek. Ze begrijpt dat oma en opa pas na het eten terug gaan. Gezellig, denkt ze.

Even later verbreekt haar moeder de verbinding. 'Ik ga gauw even naar de supermarkt,' zegt ze. 'Oma en opa blijven eten en ik heb niet voldoende in huis voor vijf personen. Zou jij even op Timmie willen passen?'

Anne knikt. Pas als haar moeder de deur uit is, herinnert ze zich dat ze nog verder zouden praten. Ze zit nog zo boordevol vragen. Daar komt straks natuurlijk niets meer van. En al helemaal niet als Bas thuis is. Morgen dan maar. Maar morgen komen oma en opa.

Opeens krijgt Anne een idee. Oma en opa zullen toch ook wel weten over dat auto-ongeluk en over dat dode zusje...

II

De volgende dag zijn oma en opa er al vroeg. Vanuit haar kamer ziet Anne hun auto aankomen. 'Daar zijn ze,' roept ze terwijl ze de trap af rent. Als eerste is ze bij de voordeur. Ze holt naar buiten en doet het portier open. 'Hoi oma, hoi opa,' zegt ze.

'Dag, lieve schat,' zegt oma. Ze wurmt haar benen naar buiten. 'Wacht even tot ik ben uitgestapt,' zegt ze, 'dan krijg je een kus van me.'

Oma wil niet overeind worden geholpen, weet Anne. Daarom wacht ze tot ze de auto uit is en omhelst haar dan. Opa krijgt ook een dikke zoen. Dan komen haar moeder en Bas aanlopen. Anne ziet hoe Bas hartelijk door oma en opa wordt begroet. Ze vinden Bas duidelijk aardiger dan pap. Het steekt haar, ondanks dat ze het nu beter begrijpt. Maar het was dan ook niet zo aardig van pap om mam in de steek te laten voor een ander. Vooral niet na dat auto-ongeluk.

'Zal ik jullie het huis laten zien?' vraagt Anne als ze de voordeur binnen stappen.

'Straks, lieverd,' antwoordt opa. 'Ik heb een heel eind gereden en ik ben wel toe aan een kop koffie.'

'Met appeltaart,' zegt Bas.

'Mmm,' zegt oma.

Even later zitten ze met z'n allen in de tuin. Terwijl Bas met koffie aankomt, snijdt mam alvast de taart in punten. Timmie krijgt ook een stukje. Anne wacht ongeduldig tot alles op is, maar opa wil nog een kop koffie.

'Ik geloof dat Anne me heel graag haar kamer wil laten zien,' zegt oma opeens.

Anne springt overeind. 'Ja, ga je mee, oma?'

'Ik wil wel eens zien hoe hij is geworden.' Oma staat ook op. 'Bas heeft het me allemaal wel verteld, maar ik kan me er niet goed een voorstelling van maken.'

Anne loopt voor oma uit het huis in. Als de anderen nu nog maar een poosje in de tuin blijven zitten, denkt ze. Ze wil even alleen zijn met oma. Ze wil niet alleen meer weten over haar gestorven zusje en over het auto-ongeluk, maar ook over de foto van haar moeder. Gisteren heeft ze het fotoalbum opgezocht, waarin de foto moest zitten die de andere Anne haar had laten zien. Hij zat er inderdaad in en hij is van haar moeder, daar is ze zeker van. Maar hoe zit het dan met de foto van de andere Anne?

'Dit is mijn kamer,' zegt ze terwijl ze de deur opendoet.

Nieuwsgierig stapt oma naar binnen. 'Wat gezellig,' zegt ze meteen. 'Die gordijnen, wat kleuren die mooi hier. En die muren… Zo zonnig dat geel.' Ze wijst naar de spiegel. 'Is die niet van je andere oma geweest?' vraagt ze.

'Ja. Hij hangt daar mooi, hè? Pap was bang dat hij stuk zou gaan bij de verhuizing. Hij vroeg er meteen naar toen hij belde.'

Oma knikt alleen maar. Ze loopt naar het raam en kijkt naar buiten. 'Lekker rustig is het hier,' merkt ze op.

'Ja, heel wat rustiger dan in Den Haag. Die straat was zo druk en het stonk er altijd vreselijk naar uitlaatgassen.' Op dat moment ziet Anne Stijn de voortuin uit komen. Hij heeft Ollie bij zich. Zijn blik gaat omhoog. Zodra hij haar ziet beginnen zijn ogen te lachen. Als hij afwachtend blijft staan doet Anne het raam open. 'Mijn oma en opa zijn er,' zegt ze. 'Ik loop een andere keer wel met je mee.'

Even is er iets van teleurstelling in zijn ogen, dan zwaait hij en loopt door.

'Leuke jongen,' zegt oma. 'Woont hij hier in de buurt?'

'Ja, hiernaast.' Anne voelt dat ze rood wordt. Daarom pakt ze vlug het fotoalbum dat op haar bureau ligt. 'Ik kwam dit tegen bij het uitpakken van de dozen,' zegt ze. 'Het is het album dat mama voor me gemaakt heeft toen ik tien werd. Er zitten allemaal foto's van mij in.'

Ze gaat op haar bed zitten, slaat het album open en doet of ze er zomaar wat in bladert. 'Hoe oud is mama hier eigenlijk, oma?' vraagt ze. Op de bladzijde zit de portretfoto van haar moeder die de andere Anne haar ook heeft laten zien.

Oma komt naast haar zitten. 'Die is gemaakt door een vriendin van je moeder. Ze moest voor haar opleiding een aantal portretfoto's maken en dit is er een van.'

Anne knikt. 'Hij is van vóór het auto-ongeluk, hè?' Ze ziet dat oma schrikt. 'Mama heeft me erover verteld,' zegt ze daarom.

Oma laat haar vingers even over de foto gaan.

'Mama zei dat ze heel lang in het ziekenhuis heeft gelegen,' gaat Anne verder, 'en dat jullie toen voor mij gezorgd hebben.' Ze bladert een stukje door. 'Kijk, deze foto's zijn in jullie huis genomen.'

Oma bekijkt ze zwijgend. 'Dat was een hele nare tijd,' zegt ze opeens. 'We waren zo bang dat je moeder het niet zou halen. Zelfs de dokters zagen het op een gegeven moment somber in. Maar gelukkig is ze er weer helemaal bovenop gekomen.'

'Ik kan me er niets van herinneren dat ik bij jullie in huis was,' zegt Anne.

Oma glimlacht even. 'Dat kan ook bijna niet, je was nog maar net twee.'

Anne slaat opnieuw een bladzijde om. Er zijn drie foto's van haar en twee kleine kinderen. 'Wie zijn dat?' vraagt ze.

'Dat waren in die tijd onze buurkinderen. De oudste was toen vijf en haar zusje was ongeveer even oud als jij. Jullie speelden wel eens met elkaar.'

Anne kijkt opnieuw naar de drie foto's. 'Als dat ongeluk er niet was geweest, had ik ook een zusje gehad,' flapt ze er opeens uit.

Oma kijkt haar beduusd aan. 'Heeft mama je over Sanne verteld?'

'Ja. Waarom niet?'

'Omdat ze het er vreselijk moeilijk mee heeft gehad en soms nog wel...'

'Dat heb ik gemerkt. Mama moest huilen toen we het erover hadden.' Anne kijkt naar oma die voor zich uit zit te staren. Waar denkt ze aan? 'Het is allemaal gekomen omdat papa tegen een boom is gereden, hè?'

Het is of oma wakker schrikt. 'Ja,' zegt ze plotseling heftig. 'En al die ellende was je moeder bespaard gebleven als je vader niet gedronken had.'

Anne kijkt haar met grote ogen aan. 'M…maar papa drinkt helemaal niet,' stamelt ze.

Oma schudt haar hoofd. 'Toen nog wel. Na het ongeluk heeft hij geen druppel alcohol meer aangeraakt, maar toen was het wel te laat.'

Anne weet zo gauw niet wat ze moet zeggen. 'Dus het ongeluk was papa's schuld?' weet ze er ten slotte uit te brengen.

Oma zucht. 'Ja.'

Anne moet alles wat ze gehoord heeft even verwerken. Haar moeder zwaargewond in het ziekenhuis, de baby die het niet overleefd heeft en haar vader…

'En toen liet hij mama ook nog eens in de steek voor Suzan,' zegt ze scherp.

'Nee, hoe kom je daarbij?'

'Dat dacht ik.' Anne begrijpt er nu helemaal niets meer van. Mam heeft haar toch altijd verteld dat Suzan papa's secretaresse was en dat ze hem van hen heeft afgepikt?

'Je moeder is bij je vader weggegaan, wist je dat niet?' vraagt oma.

'Nee.' Anne heeft langzamerhand het gevoel dat de wereld op zijn kop staat.

'Ze kon het niet verdragen dat ze de baby door zijn toedoen verloren heeft,' gaat oma verder. 'Ze kon het hem niet vergeven. Een half jaar later kon ze een flat krijgen en toen is ze met jou vertrokken.'

'En dat van Suzan dan?'

'Je vader heeft haar een paar maanden later leren kennen.'

Anne is sprakeloos. Heeft ze het dan altijd verkeerd begrepen, of heeft mam het anders voorgesteld? Dat moet ze haar toch eens vragen.

Oma staat op. 'Zullen we naar beneden gaan?' vraagt ze. 'De anderen zullen zich wel afvragen waar we blijven.'

Op dat moment ziet Anne de andere Anne de kamer binnen komen. Haar gezicht begint te stralen. 'Oma!' roept ze en ze rent op haar af.

Tot Annes verbijstering rent ze dwars door oma heen en smakt dan tegen de muur. Van schrik springt ze overeind. Het fotoalbum valt met een klap op de grond.

'Wat is er?' vraagt oma verbaasd.

Anne kijkt naar de andere Anne die met een van pijn vertrokken gezicht over haar voorhoofd wrijft. 'N...niks,' stamelt ze. 'Ik stond een beetje vlug op.' Ze raapt een paar losse foto's die uit het boek zijn gegleden bij elkaar. 'Ga jij maar alvast naar beneden, oma,' zegt ze. 'Ik kom er zo aan.'

'Dat is goed, lieve kind.'

Zodra oma de kamer uit is, buigt Anne zich over de andere Anne. 'Heb je je erg hard gestoten?' fluistert ze.

De andere Anne knikt alleen.

'Laat eens zien?' Onwillekeurig strekt Anne een hand naar haar uit, maar ze trekt hem haastig weer terug.

Op het voorhoofd van de andere Anne is een rode plek zichtbaar en er begint zich al iets van een bult af te tekenen. 'Dat was zeker *jouw* oma,' zegt ze.

Anne knikt.

'Dezelfde oma's, dezelfde vaders, dezelfde moeders. Er bestaan zelfs twee dezelfde Stijns.' De andere Anne omvat haar hoofd met haar handen. 'Ik geloof dat ik gek begin te worden.'

'Dat gevoel heb ik soms ook.' Anne lacht vreugdeloos. 'Mijn moeder zegt dat ik jou bedacht heb omdat ik eenzaam ben. Als een soort surrogaatvriendin.'

'Mijn vader zei ook al zoiets.'

'Heb je het aan je vader verteld?' Anne hurkt naast haar.

'Niet alles, maar wel over jou en dat ik mijn moeder heb gezien.'

'En?'

'Hij zegt dat het allemaal in mijn hoofd zit. Hij denkt dat het komt doordat mijn moeder dood is gegaan toen ik nog heel klein was en dat ik dat niet heb verwerkt. Daarom wil hij dat ik met een psycholoog ga praten.' De andere Anne snuift verontwaardigd. 'Een psycholoog... Ik denk er niet over!'

Anne schiet ondanks alles in de lach.

'Ja, lach er maar om,' moppert de andere Anne. 'Maar je moet toegeven dat er hier iets heel raars aan de hand is.'

'Dat kan je wel zeggen, ja. Je liep dwars door mijn oma heen.'

'Ik dacht dat het *mijn* oma was. Ik was zo blij dat ik haar zag...'

Anne kan alleen maar knikken. Haar oma leek er niets van gemerkt te hebben, maar misschien de andere Anne wel. 'Heb jij iets gevoeld toen je door mijn oma heen ging?' wil ze weten.

'Nee, niets. Helemaal niets. Ik voelde alleen die muur.' Het gezicht van de andere Anne vertrekt tot een pijnlijke grimas.

Anne kijkt naar de groeiende bult op haar voorhoofd. 'Doet het erg zeer?' vraagt ze.

'Gaat wel.' De andere Anne loopt naar de spiegel en kijkt naar haar voorhoofd. 'Ik zie er niet uit,' zegt ze. 'Mijn vader zal wel willen weten hoe ik aan die bult kom.'

Anne grinnikt. 'Dan zeg je toch gewoon dat je tegen de muur op liep omdat je dacht dat je je oma zag.'

De andere Anne schudt haar hoofd. 'Dan denkt mijn vader hele-maal dat ik gek ben. Hij denkt toch al dat ik spoken zie.'

Plotseling denkt Anne aan haar idee van een paar dagen geleden. Ze gaat naar de andere Anne toe, tot hun ogen elkaar in de spiegel ontmoeten. 'Je bent dus geen spook,' stelt ze opgelucht vast.

De andere Anne lacht. 'Gelukkig niet,' zegt ze. 'Kom eens wat dich-terbij.'

'Waarom?'

'Daarom. Ik wil zien of we echt zo op elkaar lijken.'

Aarzelend doet Anne wat ze vraagt. Toch blijft ze op een veilige afstand. Vanuit de spiegel kijken twee identieke meisjes haar aan. Het is dat ze andere kleren aan hebben, anders zou niemand hen uit elkaar kunnen houden.

'Ik zou wel eens willen weten hoe het eruit ziet als jouw arm door mij heengaat,' zegt de andere Anne opeens.

Anne doet verschrikt een stapje opzij. 'Dat heb ik je toch verteld?'

'Jawel, maar ik heb het niet gezien en ook niet gevoeld.'

'Ik wel, en het was doodeng.'

De andere Anne trekt haar wenkbrauwen op. 'Heb je je niet vergist? Wij kunnen elkaar zien en horen, waarom zouden we elkaar dan niet kunnen aanraken?'

Anne schudt haar hoofd. 'Ik weet zeker dat het niet kan. Weet je nog toen ik tegen mijn bed aanviel? Toen wilde ik me aan jou vast-houden, maar ik greep gewoon in het niets.'

'Misschien greep je gewoon mis.'

Weifelend kijkt Anne naar zichzelf in de spiegel.

'We kunnen het toch een keer proberen?' dringt de andere Anne aan.

'Hoe dan?'

'Gewoon, naast elkaar gaan staan en dan steeds een beetje dichterbij. In de spiegel kunnen we precies zien wat er gebeurt.'

Het duurt even voordat Anne genoeg moed heeft verzameld. Dan waagt ze het en gaat naast de andere Anne staan. Ze zorgt ervoor dat ze elkaar nog net niet aanraken. Afwachtend kijkt ze de andere Anne aan. Als die opeens een stapje in haar richting doet, houdt Anne haar adem in. Het is of hun onderarmen en handen met elkaar lijken te vergroeien.

'Voel je iets?' vraagt de andere Anne.

'Nee, niets,' antwoordt Anne benauwd. Ze durft zich nauwelijks te bewegen.

De andere Anne komt nog een stukje dichterbij. Nu vallen ook hun bovenarmen en schouders samen. 'Nou jij,' zegt ze.

Annes hart bonst in haar keel, maar ze wil niet kinderachtig lijken. Voorzichtig doet ze daarom een stapje naar rechts.

De andere Anne giechelt opeens zenuwachtig. 'Zo lijken we net een Siamese tweeling.'

Anne springt opzij.

'Wat is er?'

Anne is zo geschrokken dat ze niet meteen kan antwoorden. 'I...ik was bang dat we aan elkaar v...vast zouden blijven zitten,' stamelt ze ten slotte.

'Hoe kan dat nou?' zegt de andere Anne. 'Dat is toch ook niet gebeurd toen jij aan mijn haar voelde?'

'Nee, dat is zo, maar ik wil het niet nog een keer proberen.' Als Anne een beetje beschaamd naar de grond kijkt, valt haar oog op het fotoalbum. Ze pakt het op. 'Ik wil je wat laten zien,' zegt ze.

'Wat?'

'Wacht even.' Ze legt het op haar bureau en zoekt de portretfoto van haar moeder op. 'Kijk, dit is toch dezelfde als jij hebt?'

De andere Anne komt naast haar staan. Zwijgend kijkt ze er een tijdje naar. 'Dus we hebben toch dezelfde moeder.' Haar stem trilt.

Om haar af te leiden bladert Anne terug naar het begin, waar foto's zijn ingeplakt van haar als baby en foto's waarop ze op een hobbelpaard zit.

'Dat hobbelpaard hebben we nog,' zegt de andere Anne. 'Het moet hier ergens op de vliering staan. En die foto's heb ik ook wel eens gezien. Ze zitten in een doos. Ik weet alleen niet waar mijn vader die heeft. Ik zal het hem eens vragen.'

Anne bladert langzaam verder. 'Gek,' mompelt ze. 'Er zijn helemaal geen foto's van toen mijn moeder in het ziekenhuis lag.'

'Misschien dat niemand eraan heeft gedacht om die te nemen,' oppert de andere Anne.

Anne knikt en bekijkt opnieuw de foto's van toen ze bij opa en oma in huis was.

'Die foto's hebben wij, niet,' zegt de andere Anne. 'Volgens mij ben ik ook niet meer in het huis van mijn opa en oma geweest na het ongeluk.'

Anne moet daar even over nadenken. 'Je zei toch dat je andere oma voor je heeft gezorgd,' zegt ze dan. 'Daar zou jij foto's van moeten hebben.'

'Ik heb nooit foto's uit die tijd gezien, maar dat kan ik nakijken.'

Anne slaat een paar bladzijden om en laat de andere Anne foto's zien van het kinderdagverblijf waar ze op zat als haar moeder moest werken en van haar eerste schoolreisje. De andere Anne herkent ze geen van alle. Het wordt steeds duidelijker. De foto's van voor het auto-ongeluk kennen ze allebei. Hun leven was precies hetzelfde. Maar de foto's van daarna verschillen, net als hun levens. Als Anne bij de laatste bladzijde komt, is er nog één foto. Hij is uitvergroot, net als het portret van haar moeder. De foto is een jaar of drie geleden op het strand gemaakt, weet Anne. Mam staat achter haar. Ze heeft haar armen om haar heen geslagen en samen kijken ze lachend in de lens.

Opeens ziet Anne dat er tranen in de ogen van de andere Anne staan. Anne begrijpt haar verdriet wel. Ze zou haar willen troosten, maar ze weet niet hoe. Opeens hoort ze stemmen de trap op komen.

'Daar heb je mijn moeder en Bas,' fluistert ze. 'Ze laten oma en opa het huis zien.' Ze klapt het fotoalbum dicht en gaat vlug achter haar computer zitten. Op hetzelfde moment gaat de deur open.

'Waar bleef je?' vraagt haar moeder.

'Ik heb mijn mail nog even bekeken,' antwoordt Anne, 'en er waren een paar mailtjes bij die ik wilde beantwoorden.'

'Moet dat nou net als oma en opa er zijn?'

'Wat geeft dat nou?'

'Het is gewoon ongezellig.'

'Ik hoef er toch niet de hele dag bij te zitten?' Achter haar moeder verschijnt opeens het gezicht van opa.

'Dat vind ik ook, hoor,' zegt hij lachend. 'Het is belangrijk dat je contact houdt met je vriendinnen. Er blijft tijd genoeg over om met elkaar te praten. Mag ik je kamer zien?' laat hij er meteen op volgen.

'Jawel, hoor. Kom maar binnen.' Anne kijkt even schuins naar de andere Anne. Ze staat naast het bureau en kijkt strak naar opa. Als ze hem nu maar niet ook om de hals vliegt, denkt ze. Maar ze drukt zich wat tegen de muur en als mam en opa de kamer in komen, glipt ze achter hen langs de deur uit.

12

Die avond kan Anne niet in slaap komen. Urenlang ligt ze te piekeren over wat ze allemaal heeft gehoord. Hoe anders zou hun leven
zijn geweest als papa niet gedronken had. Dan was dat ongeluk niet
gebeurd, en dan zouden haar ouders nog bij elkaar zijn. Dan had ze
nu een zusje gehad. Maar dan was Timmie er weer niet geweest... Als
ze moest kiezen tussen Sanne en Timmie, dan wist ze het wel: ze kan
Timmie niet meer missen. Suzan en Bas wel. Alhoewel...? Volgens
oma heeft Suzan pap niet van hen afgepikt. En Bas...? Ze zucht.

Opeens moet ze aan de andere Anne denken. Zij wist wél van het
auto-ongeluk. Zou ze ook weten dat het kwam doordat haar vader
gedronken had? Dat moet ze haar toch eens vragen. Of kan ze dat
beter niet doen? De andere Anne heeft alleen haar vader nog maar en
het moet vreselijk zijn om te horen dat door zíjn schuld haar moeder
is gestorven en haar zusje gehandicapt.

Anne staart naar haar gordijnen waar het licht van de straatlantaarn
voor hun huis grillige schaduwen op werpt. Dan gaan haar gedachten
weer naar dat afschuwelijke auto-ongeluk. Ze beseft opeens dat het
niet alleen haar leven totaal heeft veranderd, maar ook dat van de
andere Anne. Als het ongeluk niet was gebeurd, was háár leven ook
heel anders verlopen. Dan zou haar moeder nog leven en dan zou
Sanne niet gehandicapt zijn.

Het duurt even voordat het tot haar doordringt dat hun levens dan
precies hetzelfde zouden zijn. Ze houdt haar adem in. Misschien was
er dan niet eens een andere Anne geweest... Of misschien was zij zelf
er niet... Anne weet het niet meer. Het is allemaal té ingewikkeld.
Haar gedachten beginnen door elkaar te tollen.

Met een schok ontwaakt ze uit een diepe slaap. Een scherp geluid
echoot nog even na in haar hoofd. Wat was dat? Met half dichtgekne-
pen ogen tegen het licht kijkt ze op haar klokradio. Kwart voor zeven

pas. Terwijl ze zich omdraait om verder te slapen, hoort ze voetstappen de trap afgaan. Bas die naar zijn werk gaat, denkt ze slaperig. Langzaam doezelt ze weer weg.

Plotseling schrikt ze opnieuw wakker. In de gang boven heeft iemand de stofzuiger aangezet. Heeft ze dan toch weer geslapen? Maar haar klokradio geeft nog steeds dezelfde tijd aan.

'Welke idioot gaat om kwart voor zeven stofzuigen?' roept ze woedend tegen haar slaapkamerdeur. Er komt geen antwoord. Met een zwaai gooit ze het dekbed van zich af, springt uit bed en rukt de deur open. Een zware aftershavelucht komt haar tegemoet. Bas is bezig de badkamervloer te zuigen.

'Weet je wel hoe laat het is!' roept ze tegen hem. 'Kwart voor zeven!'

'Ja, dat weet ik ook wel,' zegt hij laconiek. 'Ik had mijn aftershave laten vallen en ik neem aan dat je liever niet in het glas trapt.'

Anne is even sprakeloos. Dan zegt ze nijdig: 'Je had het toch wel met een stoffer en blik kunnen opvegen? Nu heb je me wakker gemaakt!'

Uit het kamertje van Timmie klinkt opeens gehuil.

'En nu is Timmie ook nog wakker!' Anne voelt zich steeds bozer worden.

'Dat komt door jouw geschreeuw en niet door de stofzuiger,' zegt Bas onverstoorbaar.

Anne ontploft bijna, maar ze houdt zich in, want haar moeder doet de deur van de slaapkamer open.

'Wat is er hier aan de hand?' vraagt ze nijdig.

Bas zet met zijn voet de stofzuiger uit. 'Ik heb je dochter wakker gemaakt,' zegt hij, 'en nu is ze boos op me.'

'Wat moet je ook zo vroeg met die stofzuiger?'

'Ik heb mijn aftershave laten vallen en overal lagen glassplinters.'

Anne ziet hoe haar moeder met een geërgerd gezicht naar haar kijkt. Waarom niet naar Bas? Maar ze heeft geen zin in ruzie. Daarom draait ze zich met een ruk om en verdwijnt haar slaapkamer weer in. De deur gooit ze met een slag achter zich dicht. Even later wordt de stofzuiger weer aangezet. Anne trekt het dekbed over haar hoofd, maar ze blijft het geluid horen. Pas als het weer stil is op de gang, komt ze eronderuit. Het is veel te warm en bovendien kan ze nu toch niet meer slapen.

Met haar handen onder haar hoofd luistert ze naar de geluiden in huis. Mam is met Timmie bezig. Ze praat zacht tegen hem. Een minuut later hoort Anne hen de trap af gaan. Beneden zegt ze blijkbaar iets tegen Bas, want zijn brommerige stem geeft antwoord. Het gaat natuurlijk weer over haar. Ze weet precies wat er gezegd wordt. Dat er geen land met haar te bezeilen valt en dat het zo niet langer gaat. En misschien is dat ook wel zo. Maar dat komt dan wel door Bas. Wie laat er nu weer een aftershaveflesje kapot vallen? Bas houdt nooit rekening met iemand anders. Even is er iets van twijfel in haar hart, maar meteen drukt ze die weer weg. Waarom doucht hij niet op zolder? Hij heeft daar een badkamer voor zich alleen en hij gebruikt hem niet eens!

Buiten hoort ze een auto die gestart wordt. Het is die van Bas. Tegelijk hoort ze de voetstappen van haar moeder op de trap. Een ogenblik later gaat de deur open.

'Waarom doe je toch altijd zo lelijk tegen Bas,' barst haar moeder meteen uit. 'Hij doet zo zijn best om een leuke vader voor je te zijn. Hij…'

'Van mij hoeft dat niet,' onderbreekt Anne haar nors. 'Ik heb al een vader.'

Even is haar moeder stil. 'Goed, geen vader,' zegt ze dan. 'Maar Bas doet wel zijn best om aardig tegen je te zijn.'

'Precies! Hij doet zijn best, maar in zijn hart heeft hij een hekel aan me.'

'Hoe kom je daarbij? Je hebt een bureau van hem gekregen en een computer. Hij heeft je spiegel opgehangen. Dat doet hij niet voor iemand waar hij een hekel aan heeft.'

'Hmm,' bromt Anne alleen.

'Ik denk dat het eerder andersom is,' gaat haar moeder verder. 'Jij hebt een hekel aan Bas en daarom doe je zo onaardig tegen hem.'

'Niet waar,' schreeuwt Anne. Ze gaat rechtop zitten. 'Ik heb geen hekel aan hem, ik kan het alleen niet uitstaan dat jij altijd en eeuwig partij kiest voor hem, en tégen mij!'

Haar moeder schudt haar hoofd.

'Dat is wél zo!' raast Anne verder. 'Neem nou daarnet. Ik heb de halve nacht niet geslapen en dan begint Bas om kwart voor zeven opeens te stofzuigen! Logisch dat ik boos word. Maar wie krijgt de schuld? Ik! En dan wordt er ook nog eens beneden verder over me gekletst. Ik heb het heus wel gehoord, hoor!'

Plotseling komt haar moeder naast haar op bed zitten en slaat haar armen om haar heen. Even verzet Anne zich, dan laat ze haar hoofd tegen haar moeders schouder zakken. Meteen komen de tranen. Ze probeert ze nog tegen te houden, maar ze zijn niet meer te stuiten. Ze huilt zoals ze in tijden niet meer gehuild heeft. Mam wiegt haar als een klein kind heen en weer. Als ze eindelijk een beetje tot bedaren is gekomen, vraagt ze zacht: 'Waaróm kon je niet slapen?'

Anne haalt haar schouders op.

Haar moeder pakt haar bij de schouders en kijkt haar onderzoekend aan. 'Heb je soms liggen piekeren over waar we het laatst over hebben gehad?'

'Onder andere,' mompelt Anne.

'We zouden er nog verder over praten,' gaat haar moeder verder, 'maar daar is toen niets meer van gekomen.'

Anne slaat haar ogen neer. Zou mam weten dat ze er met oma over gesproken heeft? Blijkbaar niet, want ze vraagt: 'Heb je nog behoefte om erover te praten, of liever niet?'

'Ja, natuurlijk wel.'

Haar moeder aarzelt even, dan zegt ze: 'Als jij je nu doucht en aankleedt, dan maak ik een lekker ontbijt klaar en dan kun je me alles vragen wat je nog wilt weten. Goed?'

'Ja.' Anne droogt haar tranen af en wacht tot ze de kamer uit is.

Een halfuurtje later stapt Anne de keuken binnen. De tafel is gedekt. Haar moeder heeft zelfs een paar rozen uit de tuin in een vaasje gezet.

'Waar is Timmie?' vraagt ze.

'In zijn box,' antwoordt haar moeder. 'Hij heeft zijn bordje pap al op, zodat we ongestoord kunnen praten. Wil je thee?'

Anne knikt. Haar moeder doet duidelijk haar best om een prettige sfeer te scheppen. Alsof ze iets goed te maken heeft, denkt Anne, of is er iets anders? Ze wacht tot de thee is ingeschonken, maar haar moeder zegt nog steeds niets. Daarom begint ze zelf maar: 'Gisteren heb ik er ook met oma over gepraat.'

'Waarover?' In de ogen van haar moeder verschijnt een waakzame blik.

'Over het auto-ongeluk natuurlijk.' Anne aarzelt even. Dan besluit ze om het maar gewoon te zeggen: 'Oma zei dat het kwam doordat papa te veel gedronken had.'

Het gezicht van Annes moeder wordt rood. 'Ze zou zich erbuiten houden,' zegt ze opeens fel. 'We hadden afgesproken om…' Ze sluit abrupt haar mond.

'…om het voor mij geheim te houden,' maakt Anne de zin af.

'Nee… eh…' Haar moeder knippert nerveus met haar ogen. 'We… we wilden dat je geen verkeerd beeld kreeg van je vader.'

'Maar hij had wél gedronken?'

'Ja.'

'En dat wist je?'

'Ja.'

'Waarom heb jij dan niet teruggereden?'

'Mijn buik was te dik. Ik paste niet meer achter het stuur.'

Anne moet het even tot zich door laten dringen. Dan zegt ze heftig: 'Dus papa is eigenlijk de schuld van alles! Als hij niet zoveel gedronken had, dan waren jullie nog bij elkaar geweest en dan had ik nu een zusje gehad en…'

'Hou op!' onderbreekt haar moeder haar. 'Juist hiérom heb ik je nooit over het auto-ongeluk verteld! Ik was bang voor precies déze reactie! Ik wilde niet dat je je vader verwijten zou gaan maken. Hij heeft het er moeilijk genoeg mee gehad.'

'Maar het ís toch zijn schuld?'

'Niet helemaal. Ik wíst dat hij te veel gedronken had. Daarom had ik moeten vragen of iemand ons thuis wilde brengen. Ik had ook een taxi kunnen bellen, maar dat heb ik allemaal niet gedaan.'

'Je hoeft papa heus niet te verdedigen, hoor,' brengt Anne ertegenin. Opeens denkt ze aan wat oma over Suzan heeft gezegd. 'En hoe zat dat nu precies met Suzan?' wil ze weten.

Haar moeder aarzelt even. 'Dat zat ook wat anders dan ik je altijd heb verteld.' Ze slaat haar ogen neer. 'Suzan heeft je vader niet van ons afgepikt. Ik ben bij hem weggegaan.'

'Dat weet ik,' zegt Anne.

'Van oma zeker.'

'Ja.'

Annes moeder doet een schepje suiker in haar thee en roert werktuiglijk. 'Op een dag hoorde ik dat hij iemand anders had,' gaat ze opeens verder. 'Ze werkte bij hem op kantoor. Ik voelde me vreselijk gekrenkt. Het was zo kort na wat er allemaal gebeurd was. Daarom vertelde ik dat Suzan je vader had ingepikt. Maar zo is het niet gegaan. Suzan heeft je vader door de moeilijke tijd heen geholpen en toen is er als vanzelf een relatie ontstaan.'

Anne knikt. 'Ik begrijp waarom je dat toen zo verteld hebt,' zegt ze, 'maar waarom heeft pap dat dan niet rechtgezet?'

'Dan had hij niet om het auto-ongeluk heen gekund en we hadden afgesproken je daar pas over te vertellen als je oud genoeg was.'

'En wanneer zou dat dan zijn?' vraagt Anne scherp. Ze ziet de weerloze blik wel in de ogen van haar moeder, maar ze gaat gewoon door. 'Als ik alles had geweten, had ik niet zo onaardig tegen Suzan gedaan. Je had het me allemaal veel eerder moeten vertellen. Ik heb altijd al gevoeld dat je iets voor me verborgen hield. Toen je in verwachting was van Timmie, hoorde ik de dokter zeggen dat hij beter met een keizersnee gehaald kon worden vanwege een ongeluk dat je had gehad. Ik zag toen hoe je schichtig naar mij keek en je sprak er snel overheen. Ook zei hij een keer dat je je geen zorgen hoefde te maken en dat dit kindje wél gezond zou zijn. Ik maakte daaruit op dat je iets van een miskraam had gehad, maar ik durfde het je toen niet te vragen.'

'Hij had het over Sanne,' zegt haar moeder.

'Ja, dat begrijp ik nu ook wel.' Anne heeft een droge mond gekregen en neemt een slok van haar thee. 'Als Sanne in leven was gebleven, had ze dan in een rolstoel gezeten?' vraagt ze opeens.

'Ja, waarschijnlijk wel.'

Anne ziet Sanne weer voor zich, zoals ze daar samen met de andere Anne aan de keukentafel had zitten scrabbelen. 'Ik heb Sanne gezien,' flapt ze er opeens uit.

'Hè?' Verschrikt kijkt haar moeder haar aan.

'Ja, ze zat precies waar jij nu zat.'

'Doe niet zo eng,' roept haar moeder uit.

'Het is echt waar. Ze zat in een rolstoel. Ze was spastisch en ze kon niet zo goed praten, maar…'

'Anne, hou op!'

Anne begrijpt dat ze niet verder moet gaan. Ook al weet ze zeker dat ze het gezien heeft. Haar moeder kan dat nog steeds niet aan. 'Sorry, mam,' zegt ze daarom, 'ik zag het alleen maar voor me. Ik stelde me gewoon voor hoe het zou zijn als Sanne was blijven leven en…'

'Ja, dat begrijp ik wel,' kapt haar moeder haar af. 'Laten we nu maar gaan eten.' Ze pakt een boterham uit het mandje en begint er boter op te smeren.

Hoewel Anne helemaal geen trek heeft, neemt ze ook een boterham. Ze doet er marmelade op. Zwijgend zitten ze even later te eten. Anne zoekt naarstig naar een onderwerp om over te praten. Net als ze iets gevonden heeft, is haar moeder haar voor.

'Heb je zin om straks gezellig wat te gaan winkelen?' vraagt ze.

Anne kijkt naar buiten. 'Echt lekker weer is het er niet voor,' zegt ze. 'Het is bewolkt en het waait nogal. Volgens mij gaat het regenen.'

'De radio zei daarnet dat het droog zou blijven vandaag,' zegt haar moeder.

Anne zucht. 'Vanmiddag misschien,' geeft ze dan toe. 'Ik wilde zo eigenlijk nog even proberen wat te slapen. Ik ben doodmoe.'

Opnieuw valt er een lange stilte. Het geluid van brood dat gekauwd wordt begint Anne op de zenuwen te werken. Ze probeert zich op iets anders te richten. Ze kijkt de tuin in, waar een kat op de rand van de schutting balanceert en luistert naar het gebrom van een vrachtwagen in de straat.

'De vuilnisman!' roept haar moeder opeens. 'Ik ben helemaal verge-ten de vuilnisbakken buiten te zetten.' Terwijl ze opstaat, schuift haar stoel met veel lawaai over de tegels naar achteren.

'Laat mij maar even,' zegt Anne. Voordat haar moeder iets kan zeggen is ze de keukendeur uit. De vuilnisbakken staan om de hoek, aan de zijkant van het huis. Even weifelt ze. Welke bak moet aan de straat worden gezet? Die van het groenafval of de andere?

'In de zomer moeten ze allebei,' klinkt opeens een bekende stem uit de tuin van de buren. Het is Stijn. Hij kijkt over de heg. 'Mijn vader was het ook vergeten,' zegt hij. 'En nu mogen wij dat klusje opknappen.' Hij trekt een komisch sip gezicht.

Anne lacht.

'We moeten opschieten,' roept Stijn. 'De vuilniswagen is er zo.'

Anne trekt de twee bakken naar voren, kantelt ze en trekt ze achter zich aan naar de straat toe. Ze is net op tijd. Een man met grote grijze werkhandschoenen neemt een van de bakken van haar over. Een andere man pakt er een van Stijn. Anne kijkt hoe ze geleegd worden.

Stijn komt naast haar staan. 'Ik ga zo de hond uitlaten,' zegt hij. 'Loop je mee?'

Haar hart maakt een sprongetje. 'Ja, dat is goed.' Ze probeert haar stem zo onverschillig mogelijk te laten klinken, maar het lukt haar niet.

De man met de werkhandschoenen zet de lege bak naast haar neer. 'Je mag ook wel met mij mee,' zegt hij en met een vette knipoog voegt hij eraan toe: 'Ik kan vast beter zoenen dan hij.' Met een bulderende lach loopt hij achter de vuilniswagen aan die door is gereden.

Anne weet niet waar ze moet kijken. Ook Stijn lijkt zich wat ongemakkelijk te voelen en bestudeert aandachtig zijn schoenen.

'Moeten de andere bakken niet worden geleegd?' vraagt Anne om maar iets te zeggen.

'Dat gebeurt later,' antwoordt Stijn. 'Ik ga Ollie nu ophalen,' zegt hij. 'Wacht je hier, of... eh...?'

'Ja, maar ik moet eerst even zeggen dat ik met jou meega, anders wordt mijn moeder ongerust.' Ze durft hem bijna niet aan te kijken. 'Tot zo.' Ze draait zich om en loopt haastig de voortuin in.

13

Als Anne terugkomt van de wandeling, roept haar moeder vanuit de huiskamer: 'Marit is net aan de telefoon.'

'Ik neem hem boven wel,' roept Anne terug. Met twee treden tegelijk rent ze de trap op. De deur van haar kamer staat open. Ze grist de telefoon van de haak en wacht tot ze een klik hoort, ten teken dat haar moeder de telefoon heeft neergelegd. 'Hoi,' zegt ze dan. 'Waar zit je?'

'In Griekenland! We zitten zelfs al in ons appartement!'

'Dan zijn jullie zeker vroeg vertrokken?'

'Ja, vanmorgen om kwart voor zeven.'

Anne ziet Bas weer voor zich terwijl hij de badkamervloer zuigt. 'Toen was ik ook al op.' Ze hoort bijna Marits verbazing. 'Hoe is het daar?' vraagt ze om het niet allemaal uit te hoeven leggen.

'Super! Er is hier een megazwembad en de zee is vlakbij.'

'Klinkt goed. Ik wou dat ik bij je was.'

'Ja, dat zou echt te gek zijn.' Marits stem gaat over in gefluister. 'Er lopen hier heel wat leuke jongens rond. Bruine hondenogen en mooie donkere krullen.'

Anne grinnikt. 'Ik dacht dat jij op blond viel?'

'Ja, maar als ik op vakantie ben even niet. Ik kan die mooie Griekse jongens toch niet zomaar laten lopen?'

'Wat moet je met ze? Je spreekt toch geen Grieks?'

'Nee, maar wat maakt dat uit.' Marit giechelt. 'De taal van de liefde is overal hetzelfde. Maar hoe zit het eigenlijk met die buurjongen van jou?' begint ze opeens over iets anders. 'Je zou toch met hem naar de film gaan?'

'Ja, daar zijn we ook heen geweest en de volgende dag zijn we wezen zwemmen in een meer hier in de buurt en vanmorgen hebben we samen...' Vanuit haar ooghoeken ziet ze opeens een beweging. Als ze opzij kijkt, ziet ze de andere Anne in de deuropening staan.

'Ben je er nog?' hoort ze Marit zeggen.

'Ja.'

'Je hield zo plotseling op. Is je moeder soms binnengekomen?'

Even overweegt Anne te vertellen van de andere Anne, maar ze doet het niet. 'Ja,' zegt ze alleen.

'Dan kan je dus niet veel meer zeggen,' stelt Marit vast.

'Nee.'

'Jammer.' Het is even stil aan de andere kant van de lijn. Dan vraagt Marit nieuwsgierig: 'Begrijp ik goed dat jullie verkering hebben?'

Anne aarzelt even. 'Zo'n beetje,' zegt ze dan.

'Zo'n beetje,' herhaalt Marit geërgerd. 'Wat is dat nou voor antwoord? Je hebt verkering, of je hebt het niet.'

Anne kijkt naar de andere Anne. Ze doet of ze niet luistert, maar Anne weet wel beter. 'Kan ik je daar mailen?' vraagt ze.

'Nee, dat hebben ze hier niet,' antwoordt Marit. 'Maar ik moet je nu echt gaan hangen, anders is al mijn beltegoed op.'

'Ik stuur je straks wel een sms'je,' zegt Anne.

'Ja, dat is goed.'

Anne wenst Marit veel plezier en verbreekt dan de verbinding. Ze zet zich af en haar bureaustoel maakt een halve slag in de rondte. 'Kom binnen,' zegt ze terwijl ze opstaat. Ze doet de deur achter de andere Anne dicht.

Die loopt naar het raam. 'Ik zag je vanmorgen met Stijn de straat uit lopen,' zegt ze naar buiten kijkend.

'Ja, hij vroeg of ik meeging de hond uitlaten.' Anne hoort zelf hoe afwerend haar stem klinkt, maar de andere Anne lijkt het niet te horen.

'Mijn Stijn heeft geen hond,' zegt ze.

'O, nee?' reageert Anne verbaasd.

'Nee. Bovendien is mijn Stijn vanmorgen op vakantie gegaan.'

Anne moet het even tot zich door laten dringen. Het wordt steeds duidelijker: er bestaan twee Stijns. 'Heeft jouw Stijn het wel eens met jou over een andere Stijn gehad?' vraagt ze opeens.

'Nee.'

'Dat is vreemd. Als ze net als wij in hetzelfde huis wonen, zouden ze elkaar toch ook moeten tegenkomen?'

De andere Anne fronst. 'Waar woont jouw Stijn dan?'

'Hiernaast. Daar woont jouw Stijn toch ook?'

'Nee.'

Anne is even van haar stuk gebracht. 'Waar woont hij dan?'

'Aan de andere kant van Zeist.'

'O,' weet Anne alleen te zeggen. Ze moet het even op zich in laten werken. Dan krijgt ze opeens een ingeving. 'We zouden jouw Stijn en die van mij een keer met elkaar in contact moeten brengen om te zien of het net zo is als met ons.'

De andere Anne knikt. 'Dat zou interessant zijn,' zegt ze, 'maar voorlopig kan dat niet, want mijn Stijn komt pas tegen het eind van de vakantie terug.'

'Jammer,' zegt Anne. Terwijl ze het zegt, sluipt er een vage twijfel in haar hart. Het is wel heel toevallig dat hij net op vakantie is. Bestaat er wel een andere Stijn, of zou de andere Anne hem soms hebben verzonnen omdat ze jaloers is? 'Wat kwam je eigenlijk doen?' vraagt ze.

'Ik verveelde me een beetje,' antwoordt de andere Anne. 'En toen dacht ik: ik ga even kijken of je al terug bent.'

'Ik ben net thuis,' zegt Anne. Ze heeft het gevoel dat de andere Anne dat heus wel wist. Dat ze zelfs naar haar uit heeft staan kijken. Toen Stijn en zij de straat in kwamen, liepen ze allang niet meer hand in hand, maar toch...

'Was het gezellig met je oma en opa?' onderbreekt de andere Anne haar gedachten.

'Ja, heel gezellig.' Er valt een wat ongemakkelijke stilte. Anne zoekt naarstig naar een gespreksonderwerp. Dan vraagt ze: 'Jij ziet je oma en opa niet vaak, hè?'

'Nee,' antwoordt de andere Anne. 'Als ze komen, komen ze duidelijk voor Sanne en mij. Tegen mijn vader doen ze altijd heel kil.'

'Waarom?'

'Omdat ze vinden dat hij de schuld is van dat ongeluk.'

'Dat ongeluk waarbij je moeder is omgekomen?'

De andere Anne knikt. 'Hij zat dronken achter het stuur.'

Anne is er even stil van. 'Mijn vader ook,' zegt ze dan. 'Mijn moeder heeft het me vanmorgen verteld.'

'Ik wist het al een tijdje,' zegt de andere Anne. 'Mijn vader kwam er op een dag zelf mee. Hij had het er nog steeds moeilijk mee.'

'En jij?'

'Ik ook wel een beetje, maar het is al zo lang geleden...' De andere Anne bijt gedachteloos op haar nagels. 'Ik heb het hem vergeven,' gaat ze opeens verder. 'Hij drinkt allang niet meer en hij doet vreselijk zijn best om een goede vader voor ons te zijn. Eigenlijk is hij vader en moeder tegelijk.'

'Als jij het hem kunt vergeven, dan begrijp ik niet dat je oma en opa dat niet ook kunnen,' zegt Anne.

De andere Anne trekt een hulpeloos gezicht. 'Dat probeerden ze geloof ik ook wel, maar sinds papa Paula kent, is het weer helemaal mis.'

Anne knikt begrijpend. 'Hoe lang kent je vader haar al?' vraagt ze.

'Al meer dan een jaar.'

'Vind je haar aardig?'

'Ja.'

'Echt?'

'Ja.'

Anne kijkt haar ongelovig aan. 'Vind je dat geflikflooi van ze dan niet vervelend?'

'Nee, waarom? Mijn vader is sinds hij Paula kent een stuk gelukkiger.'

'En jij?'

De andere Anne glimlacht. 'Ik ook. Ik mag Paula heel graag. En zij mij ook, geloof ik.'

'En Sanne?' flapt Anne eruit.

De andere Anne fronst even. 'Paula is heel lief voor haar,' zegt ze dan.

'Zijn je vader en Paula soms van plan om samen te gaan wonen?' vraagt Anne opeens.

De andere Anne knikt.

'Komt Paula hier dan ook wonen?' Anne krijgt het er benauwd van. Met z'n achten in huis wordt het wel heel erg vol.

Het is of de andere Anne haar gedachten heeft geraden. 'Zeven of acht mensen maakt weinig uit,' gaat ze verder. 'Eigenlijk hebben alleen wij er last van. De anderen niet. Maar je hoeft je geen zorgen te maken; Paula ziet het niet zitten om naar hier te verhuizen.'

'Waarom niet?'

'Ze woont in Doetinchem. Daar heeft ze een eigen kapsalon.'

'Ze kan toch op en neer reizen?'

'Nee, dat gaat niet. Ze heeft het een week lang geprobeerd, maar de zaak gaat om half negen open en ze redt het niet met al die files. Ze heeft er ook nog over gedacht om de zaak te verkopen en hier opnieuw te beginnen, maar dat doet ze toch liever niet.'

'En je vader, wil die niet verhuizen?'

'Dat zou nog wel kunnen. Hij werkt in Ede. Dat is goed te doen vanuit Doetinchem. Maar het kan niet vanwege Sanne. Die zit op een speciale school en in Doetinchem is een wachtlijst voor dat soort scholen.'

'Dus voorlopig zit het er niet in dat ze samen gaan wonen?'

'Ik ben bang van niet.'

'Zou je dat dan graag willen?'

'Ik wel en Sanne ook. Als ze gaan trouwen, mogen we allebei bruidsmeisje zijn.'

'Dus dan wordt Paula jullie stiefmoeder?'

De andere Anne zegt even niets. 'Dat vind ik een rotwoord,' zegt ze opeens.

'Wat?'

'Stiefmoeder. Ik heb het liever over mijn tweede moeder.'

'Hmm,' bromt Anne. 'Ik moet er niet aan denken om Bas mijn tweede vader te moeten noemen.'

'Waarom niet? Vind je hem niet aardig?'

'Aardig, aardig,' mompelt Anne wrevelig. 'Hij is dik en kaal. Ik begrijp niet wat mijn moeder in hem ziet.'

'Smaken verschillen.' De andere Anne grinnikt.

'Ja, lach er maar om. Maar sinds Bas er is, ziet mijn moeder mij niet meer staan.'

'Dat is niet zo leuk.'

'Nee. We hebben ook aldoor ruzie. En dan krijg ik daar weer de schuld van.'

'Kunnen jullie het niet uitpraten?'

Anne haalt haar schouders op. 'Dat heeft geen zin. Mijn moeder neemt het toch altijd voor Bas op.'

De andere Anne kijkt haar peinzend aan. 'Maar Bas doet toch niet vervelend tegen jou?'

Nee, dat is zo, denkt Anne. 'Deed hij dat maar,' barst ze opeens uit. 'Was hij maar eens een keer kwaad. Maar hij doet altijd onverschillig tegen me.'

'Hoe komt dat, denk je?'

Anne haalt haar schouders op. 'Ik ben niet van hem. Timmie wel. Daar is hij heel anders tegen. Van Timmie houdt hij, van mij niet.'

'Daar geloof ik niets van,' gaat de andere Anne ertegenin. 'Toen jij met je rug tegen je bed aan was gevallen...'

Anne kijkt verschrikt naar de deur als er wordt geklopt. Voordat ze kan reageren gaat hij open en haar moeder komt de kamer binnen. Onderzoekend kijkt ze in het rond.

'Met wie praatte je?' vraagt ze.

Schichtig kijkt Anne naar de andere Anne. 'T...tegen... eh... Marit,' hakkelt ze. 'Ik leg net de telefoon neer.'

Er verschijnt een weifelende blik in haar moeders ogen. 'Dan heb je wel héél kort gebeld,' zegt ze. 'Ik heb net een afspraak gemaakt met de kapper en dat was nog geen twee minuten geleden.'

Anne voelt zich in het nauw gedreven. 'Natuurlijk heb ik kort gebeld!' roept ze boos. 'Naar Griekenland bellen is duur! Maar wat kwam je hier eigenlijk doen? Het is net of je me in de gaten houdt. Wilde je soms weten wat ik met Marit te bespreken had?'

'Helemaal niet! Ik luister jouw gesprekken met je vriendinnen niet af. Ik kwam gewoon naar boven en toen hoorde ik je praten. Ik dacht dat Stijn bij je op de kamer was en ik wilde vragen of jullie misschien thee wilden.' Opnieuw kijkt ze zoekend om zich heen.

Anne doet haar mond al open voor een volgende boze opmerking, als het haar opeens niets meer kan schelen. Als haar moeder dan zo graag de waarheid wil horen, dan kan ze die krijgen. 'Stijn is hier niet,' zegt ze kortaf. 'Ik praatte met iemand anders.'

Haar moeder trekt de wenkbrauwen op. 'Met wie dan?'

Anne aarzelt even. 'Met dat meisje, waar ik je al eerder over heb verteld.'

Het duurt even voordat haar moeder reageert. 'Zit dat kind nu nog steeds in je hoofd?' zegt ze. 'Ik dacht dat die fantasie van je wel over zou gaan, doordat je Stijn hebt leren kennen.'

'Wat heeft Stijn daar nu mee te maken?'

'Alles. Het is belangrijk om zo gauw mogelijk nieuwe vrienden te maken. Iemand zoals Stijn. Normale vrienden. Geen…'

'Alsof de andere Anne niet normaal is,' onderbreekt Anne haar boos.

Haar moeder zucht. 'Wat heb je aan een vriendin die alleen maar in je hoofd zit?'

'Ze zit niet in mijn hoofd!' roept Anne. 'Ze is hier in mijn kamer.'

'Waar dan?'

'Jij kunt haar niet zien.'

Haar moeder kijkt haar ongelovig aan. 'En vorige week dan? Toen vroeg je of ik kwam kijken. Dat meisje zou in de huiskamer zijn.'

Anne knikt. 'Maar toen wist ik nog niet dat ze voor anderen onzichtbaar was.'

Haar moeder schudt moedeloos haar hoofd. 'Anne, dat kan toch niet. Wees nu eens even redelijk. Dit soort dingen bestaat…' Midden in de zin houdt ze op en zegt: 'Vraag haar of ze iets tegen me wil zeggen, dan geloof ik je.'

'Dat heeft geen zin, je kunt haar ook niet horen. Alleen ik hoor haar.'

Annes moeder maakt een wanhopig gebaar. 'En dat moet ik allemaal geloven.'

Anne zucht. Hoe kan ze haar moeder overtuigen dat de andere Anne echt bestaat?

'Toen ik haar voor het eerst zag, dacht ik dat het mijn tweelingzusje was,' begint ze daarom maar te vertellen. 'Ze lijkt sprekend op mij en ze is even oud. Ook zijn we op dezelfde dag jarig. Maar toen ik hoorde dat ze ook Anne heette, begreep ik er niets meer van. Een tweeling krijgt toch niet dezelfde naam? Trouwens, haar vader heet ook Peter, net als papa en hij ziet er hetzelfde uit. En ze heeft ook dezelfde oma en opa. Gisteren, toen…'

'Hoe kom je aan al die onzin?' valt haar moeder haar in de rede.

'Het ís geen onzin!' roept Anne. 'Luister nou! Niet alles is hetzelfde. Onze levens hebben wel met elkaar te maken, maar ze verschillen ook. De vader van de andere Anne is niet getrouwd, maar hij heeft wel een vriendin, Paula. En de moeder van de andere Anne leeft niet meer. Ze lijkt wel precies op jou. Ik heb een foto van haar gezien en die is precies hetzelfde als de foto die ik in mijn album heb.' Anne struikelt bijna over haar eigen woorden. 'O, ja, en ik wist toch laatst de naam van Sanne? Die had ik niet van papa of oma gehoord, maar van de andere Anne. Sanne is haar zusje en ze is spastisch. Ze woont hier ook en…'

'Hou alsjeblieft op met die onzin!' roept Annes moeder. Er staan tranen in haar ogen. 'Het zit allemaal in je hoofd. Het zijn allemaal hersenschimmen die…'

'Dat is niet waar!' kapt Anne haar af.

De andere Anne maakt een sussend gebaar. 'Je kúnt haar niet overtuigen dat wij bestaan,' zegt ze. 'Net zo min als ik mijn vader heb kunnen overtuigen dat júllie bestaan.'

'Maar er moet toch een manier te vinden zijn?' roept Anne vertwijfeld.

'Ik heb hem nog niet kunnen vinden,' antwoordt de andere Anne. 'Het enige wat ik bereikt heb, is dat mijn vader denkt dat ik gek aan het worden ben.'

Anne schudt moedeloos haar hoofd. 'Volgens mij denkt mijn moeder dat ook.'

'Tegen wie heb je het?' vraagt haar moeder.

'Tegen de andere Anne.' Anne wijst. 'Ze staat daar, vlak naast je.'

Verschrikt doet haar moeder een stapje opzij. 'Hè, doe niet zo eng,' mompelt ze. Opeens verandert ze van toon. 'Ik denk dat het verstandig is als je eens met een psycholoog gaat praten. Die kan je misschien overtuigen dat die zogenaamde andere Anne alleen maar in je verbeelding bestaat.'

'Ze is geen verbeelding,' roept Anne wanhopig. 'Ze bestaat echt! Ik zie haar toch?'

Haar moeder schudt haar hoofd. 'Dat lijkt maar zo, lieverd. Een psycholoog kan je precies vertellen hoe het zit. Ik ken iemand in Utrecht die…'

'Ik ga niet naar een psycholoog!' schreeuwt Anne opeens. 'Ik ben niet gek!' Met een ruk draait ze zich om. Terwijl ze de trap af rent, lopen er tranen van machteloze woede over haar wangen. Een psycholoog... Alsof ze niet goed snik is.

In de keuken blijft ze even weifelend staan. Dan ziet ze haar rugzakje op de keukentafel liggen. Ze besluit Zeist in te gaan. Voordat haar moeder haar tegen kan houden is ze het huis uit en heeft ze haar fiets uit de garage gehaald. Ze wil juist opstappen als ze Stijn aan de andere kant van de heg hoort.

'Hé, Anne,' roept hij.

'Hoi,' antwoordt ze. Haastig droogt ze haar tranen.

'Waar ga je naartoe?'

'Even Zeist in. Wat kleren kopen.'

'Zal ik meegaan?'

'Nee, er is weinig aan voor jou.' Ze stapt alvast op. 'Ik weet nog niet precies wat ik wil hebben, dus het is winkel in winkel uit.'

Ze is precies tegelijk met Stijn bij de straat. Het liefst was ze gewoon doorgereden, want ze wil niet dat hij ziet dat ze gehuild heeft.

'Ik wilde net de vuilnisbakken binnenhalen, want... Wat is er?' onderbreekt hij zichzelf.

Anne slaat haar ogen neer. 'Niets,' antwoordt ze afwerend. Als Stijn blijft zwijgen kijkt ze hem aan. Zijn blik is afwachtend. 'Gewoon ruzie gehad met mijn moeder,' zegt ze daarom maar. Ze zegt niets over de andere Anne, anders denkt Stijn straks ook nog dat ze gek is.

'Dus eigenlijk was je helemaal niet van plan om kleren te gaan kopen?' zegt hij half vragend.

Anne aarzelt even. 'Nee.' Ze lacht verontschuldigend. 'Maar ik moet toch wat?'

Stijn heeft zijn hand op haar stuur gelegd. 'Kom even bij ons binnen,' zegt hij opeens. 'Ik had net een zak chips opengetrokken en wat te drinken gemaakt.'

Anne schudt haar hoofd. 'Ik heb hele rode ogen.'

'Wat maakt dat nou uit?' zegt Stijn. 'Trouwens, er is niemand thuis.'

'Je broer ook niet?'

'Nee, die is naar hockey.'

'Nou, goed dan.'

Terwijl Anne haar fiets de tuin van Stijn in rijdt, loopt hij met de twee vuilnisbakken achter haar aan. Een beetje onwennig volgt ze hem naar binnen. De keuken ziet er gezellig uit. Op het aanrecht ligt een opengescheurde zak chips met ernaast een glas gele limonade.

'Hou je van prik?' vraagt Stijn.

Ze knikt. Ze kijkt toe hoe Stijn een glas uit een kastje pakt en de koelkast opent. Klokkend schenkt hij het glas vol. Opeens heeft ze een vreselijke dorst.

'Zullen we naar mijn kamer gaan?' vraagt Stijn.

Anne aarzelt. Ze mag alleen jongens op haar kamer als haar moeder thuis is. Maar dit is het huis van Stijn. 'Ja, goed,' zegt ze dan.

Stijn zet de glazen en de chips op een dienblad en gaat haar voor de trap op. Zijn kamer ligt aan de achterkant. Nieuwsgierig kijkt Anne om zich heen. Stijns kamer is heel anders dan de hare. Er hangen posters aan de muur en op een standaard bij zijn bed staat een elektrische gitaar.

'Speel jij daarop?' vraagt Anne.

Stijn knikt.

'Doe eens wat.'

Stijn schudt zijn hoofd. 'Ik kan het nog niet zo goed.'

'Ah, toe…'

Hij laat zich toch overhalen. Hij pakt de gitaar en sluit hem aan op iets wat op een geluidsbox lijkt. Een ogenblik later is de kamer gevuld met scheurende akkoorden.

'Ik dacht dat je zei dat je het niet zo goed kon,' zegt Anne bewonderend als het weer stil is.

'Ach,' Stijn haalt verlegen schouders zijn op, 'ik moet nog heel wat beter worden als ik in een bandje terecht wil komen.'

'Wil je dat dan?'

'Ja, dat lijkt me heel leuk. Op school hebben ze een goede band, maar daar hebben ze al een gitarist.'

Annes oog valt op een boog die aan de muur naast de deur hangt. 'Wat is dat daar?' Ze wijst.

'Een wedstrijdboog,' zegt Stijn.

'Kan jij dat, boogschieten?'

'Ja, best wel. Ik zit op een schietvereniging. Elke zaterdag trainen we.'

'Mag ik eens?'

Stijn lacht. 'Hier in mijn kamer gaten in de muur schieten zeker?' Hij pakt de boog van de muur en brengt de pees op spanning. Terwijl hij voordoet hoe ze de boog vast moet houden, trekt hij de pees zo ver mogelijk naar achteren. Anne kijkt heimelijk naar de opzwellende spieren in zijn arm.

'Hier probeer het ook maar eens.' Stijn houdt haar de boog voor. 'Doe maar of er een pijl op ligt.'

Terwijl Anne zo hard trekt als ze kan, verandert Stijn nog wat aan haar houding. Zijn hoofd is vlak naast het hare. Anne krijgt het er warm van. Opeens schiet de pees uit haar vingers en schaaft gemeen langs haar onderarm. 'Auw,' roept ze.

'Sorry, ik had je moeten waarschuwen,' zegt Stijn. 'Doet het zeer?'

'Gaat wel.' Anne wrijft over de pijnlijke plek.

'Laat eens kijken.'

Ze laat hem haar onderarm zien waarop een rode striem is verschenen. Opeens brengt Stijn haar arm naar zijn lippen en drukt er een kus op. 'Kusje en over is het,' zegt hij met een verlegen lachje.

Anne vindt hem opeens zo vreselijk lief dat ze hem in een opwelling een kus op zijn wang geeft. Ze schrikt er zelf van. Ze durft Stijn nauwelijks meer aan te kijken. Gelukkig gaat op dat moment haar mobieltje. 'Ik krijg een sms'je,' zegt ze.

Haastig opent ze het. Het is van Marit.

Je zou me nog sms'en. Was je dat vergeten, of heb je het te druk met Stijn?

Terwijl Anne haar ogen snel over de regels laat gaan, merkt ze opeens dat hij over haar schouder mee staat te lezen. Hij grinnikt.

'Sms haar maar terug dat we net stonden te zoenen,' zegt hij.

14

Die middag wordt Anne heen en weer geslingerd tussen een gevoel van gelukzaligheid en een van teleurstelling. Stijn en zijn broer gingen zeilen met hun vader. Hij had het hun al eerder beloofd, maar nu was het er precies het juiste weer voor. Een stevig windje en zo nu en dan een beetje zon. Anne had nog gehoopt dat ze mee mocht, maar Stijn had het haar niet gevraagd.

Al een paar uur zit ze verveeld achter haar computer, als ze beneden de voordeur hoort dichtslaan. Meteen klinkt de stem van Bas door het huis: 'Ik ben er weer!'

Haar moeder antwoordt: 'Ik ben in de keuken!'

Daarna is het weer een hele poos stil. Ze staan natuurlijk weer te zoenen, denkt Anne gemelijk. Of zou mama hem nu vertellen over de verzinsels van haar dochter over een onzichtbaar meisje? Zachtjes staat ze op en opent de deur van haar kamer. Van beneden komen de stemmen van haar moeder en Bas. Om te kunnen horen wat ze zeggen, sluipt ze naar de trap.

'Ik maak me grote zorgen om Anne,' hoort ze haar moeder zeggen.

Zie je wel, denkt ze. Voorzichtig gaat ze een paar treden naar beneden en buigt zich diep voorover.

'Toen ik vanmorgen langs haar kamer liep, hoorde ik haar praten,' gaat haar moeder verder. 'Ik dacht dat die jongen van de buren bij haar was, die Stijn...'

'Leuke jongen,' onderbreekt Bas haar. Hij lacht even.

'Ja, maar die was het niet. Er was niemand in haar kamer.'

Het blijft even stil. 'Ik heb haar ook een keer horen praten,' zegt Bas dan. 'Dat was toen ik haar spiegel kwam ophangen. Maar dat is niets bijzonders, hoor. Ik praat ook wel eens in mezelf.' Hij lacht opnieuw.

'Ja, maar ze zei dat ze wél tegen iemand praatte. Tegen een meisje dat ook Anne heet en dat er net zo uitzag als zijzelf.'

'Ach.' Anne ziet bijna het gebaar dat Bas er bij maakt. 'Op die leeftijd hebben kinderen vaak behoefte aan een vriendinnetje. En als dat er niet is, dan verzinnen ze er een. Je moet niet vergeten dat ze op het ogenblik niemand heeft om mee te praten. Haar vriendinnen zijn op vakantie en ze heeft alleen maar de telefoon en msn om…'

'Dat zei ik ook al,' valt haar moeder hem in de rede, 'maar dit gaat veel verder. Als je hoort wat ze me allemaal vertelde, lopen de koude rillingen over je rug.'

'Nou, nou, zo erg zal het toch niet zijn?'

'Dat is het wel. Ik ben me echt rotgeschrokken. Dit is niet normaal.'

'Waar is Anne nu?' vraagt Bas.

'Op haar kamer.'

'Laten we dan even naar de huiskamer gaan,' zegt Bas na een korte stilte. 'Of kan dat niet met het eten?'

'Jawel, het staat in de oven.'

Anne gaat vlug de trap weer op. Zouden ze soms gemerkt hebben dat ze hier stond te luisteren? Ze hoort hoe haar moeder en Bas de keuken uit lopen. Een ogenblik later gaat de deur van de huiskamer achter hen dicht.

Weifelend blijft Anne boven aan de trap staan. Wat moet ze nu? Vanuit de huiskamer komen gedempte stemmen. Ze kan wel raden wat er over haar gezegd wordt, maar ze wil het toch horen. Voorzichtig begint ze de trap af te dalen. Ze is al bijna halverwege als ze schrikt van een doordringend gekraak. Met een bonzend hart blijft ze staan. Ze had het kunnen weten: de zesde tree van boven. Ze luistert scherp, maar haar moeder en Bas praten gewoon door. Terwijl ze haar voet van de tree afhaalt kraakt hij opnieuw. Beneden is het even stil. Zouden ze haar gehoord hebben? Maar dan begint Bas weer te praten. Nog voorzichtiger gaat ze verder. Met haar volle gewicht op de trapleuningen neemt ze de laatste paar treden. Dan staat ze in de gang. Ze sluipt naar de deur van de huiskamer en spitst haar oren.

'Ze gaat helemaal op in haar eigen fantasieën,' hoort ze haar moeder zeggen.

'Ik begrijp het niet,' zegt Bas. 'Toen we nog in Den Haag woonden was er niets met haar aan de hand.'

'Het is begonnen toen we hier kwamen wonen,' zegt haar moeder.

Bas knikt peinzend. 'Ik heb soms het gevoel dat Anne dingen ziet die jij en ik niet zien. Er hangt inderdaad een vreemde sfeer in dit huis. Het is of we niet alleen zijn. Het zal hier toch niet spoken?'

'Hè, begin jij ook al?'

'Ik probeer alleen maar een verklaring te vinden voor wat je me net vertelde. Dit huis is tenslotte oud. Wie weet wat er allemaal heeft plaatsgevonden voordat wij erin trokken.'

'Praat geen onzin Bas. Spoken bestaan niet. Het is iets psychisch. Ik heb met Anja gebeld, je weet wel, die vriendin die verbonden is aan die psychologenpraktijk in Utrecht. Die zegt ook dat het niet normaal is. Ze zegt dat Anne aan waanvoorstellingen lijdt en ze heeft aangeboden om met haar te praten. Ik kan volgende week met haar langskomen.'

Op dat moment voelt Anne een wilde verontwaardiging opkomen. Terwijl ze bij Stijn was, heeft haar moeder achter haar rug om met die Anja gesproken. Ze gooit de deur open. 'Als je maar weet dat ik niet naar een psycholoog ga!' schreeuwt ze de kamer binnen stormend. 'Ik ben niet gek!'

'Niemand zegt dat je gek bent,' probeert haar moeder haar te sussen.

'Nee, je zegt het niet, maar je denkt het wel!'

Vanuit de keuken klinkt opeens een reeks piepjes.

'Het eten is klaar,' zegt haar moeder kortaf. 'Komen jullie? En laten we alsjeblieft verder over dat meisje ophouden. Ik heb geen zin in verhitte discussies aan tafel.' Ze wendt zich tot Bas. 'Wil jij Timmie uit zijn box halen en in zijn kinderstoel zetten?' vraagt ze. 'Dan haal ik het eten uit de oven.'

Een beetje verloren blijft Anne midden in de kamer staan.

'Je moeder is alleen maar bezorgd over je,' zegt Bas, terwijl hij Timmie uit zijn box tilt. 'Ze heeft het beste met je voor. Misschien zou je een keer met die psycholoog…'

'Ik denk er niet over,' zegt ze bits.

Bas loopt met Timmie naar de keuken. Anne volgt hem. De geur van eten heeft haar hongerig gemaakt. Beschermd door twee oven-handschoenen zet haar moeder een dampende schotel op tafel.

'Dat ziet er lekker uit,' zegt Bas. Hij zet Timmie in zijn kinderstoel en bindt hem zijn slab voor.

'Kom je ook aan tafel, Anne?' vraagt haar moeder.

Zonder antwoord te geven gaat ze zitten.

'Zal ik je opscheppen?'

'Dat doe ik zelf wel,' antwoordt ze nors. Ze wacht tot de anderen het eten op hun bord hebben en neemt dan zelf een schep van de lasagne. Ze heeft een stevige trek, maar met opzet neemt ze heel weinig. Ze ziet haar moeder kijken. Als ze er nu iets van durft te zeggen, kan ze de wind van voren krijgen!

Opeens ziet Anne de andere Anne de keuken binnenkomen. Daar heb je haar weer, wil ze zeggen, maar ze begrijpt dat het geen zin heeft. Ze zullen haar toch niet geloven en ze kan ook niet bewijzen dat de andere Anne echt bestaat.

'Ik kwam net naar beneden en ik hoorde jullie praten,' begint de andere Anne. 'Dus jouw moeder denkt ook dat je gek bent.'

Even weifelt Anne of ze antwoord zal geven. Ach wat kan het me ook schelen, denkt ze. Dan denken ze maar dat ik gek ben. 'Ze wil met me naar een psycholoog,' zegt ze.

Bas kijkt verbaasd op. 'Tegen wie heb je het?'

'Tegen de andere Anne,' zegt Anne kortaf. 'Houd je er nou even buiten.' Ze richt zich weer tot de andere Anne. 'Ze heeft zelfs al een afspraak gemaakt,' gaat ze verder. 'Hoe vind je dat?'

De andere Anne haalt haar schouders op. 'Bij mij is het idem dito met een sterretje. Mijn vader wil een afspraak maken met de huisarts. Hij wil dat die me doorstuurt naar een psychiater.'

'Een psychiater?' herhaalt Anne verschrikt.

De andere Anne knikt. 'Nog even en ik word opgesloten in een gekkengesticht.'

'Dat zal je vader toch niet laten gebeuren?'

'Anne, hou op!' roept haar moeder opeens. Bas gebaart haar te zwijgen, maar Annes moeder negeert dat. 'Die onzin heeft nu lang genoeg geduurd. Mijn geduld is op. Ik wil niets meer over dat meisje horen. Ze bestaat alleen in je fantasie. Ze…'

'Ze staat hier vlak naast me,' onderbreekt Anne haar, 'tussen Bas en mij in.'

Bas schuift een beetje opzij en kijkt naast zich. 'Ik zie niks,' zegt hij.

'Je kunt haar ook niet zien, en horen ook niet.'

'En aanraken?' Bas strekt tastend zijn hand uit, in de richting van de andere Anne. Anne kijkt er met ingehouden adem naar.

'Ik voel niets,' zegt hij.

'Nee, maar je hand gaat nu wel dwars door haar heen.'

Schichtig trekt Bas hem terug. 'Jasses,' mompelt hij.

'Laat je toch niet zo voor de gek houden,' moppert Annes moeder. 'Er is geen meisje. Het is er ook nooit geweest. Het zit allemaal in haar hoofd. Misschien is het zelfs wel een vorm van aandachttrekkerij.'

Bas gebaart haar te zwijgen. 'Kan je haar niet vragen om iets op de grond te gooien? Bijvoorbeeld deze vork?' Hij legt hem op de hoek van de tafel, recht voor de andere Anne.

Anne schudt haar hoofd. 'Dat kan niet. Ze kan de voorwerpen in onze wereld niet voelen en ik die in de hare ook niet. Ze kan die vork dus ook niet op de grond gooien.'

'Je hebt het allemaal goed uitgedacht,' zegt haar moeder schamper.

'Ik heb niks uitgedacht!' schreeuwt Anne opeens. 'Het is gewoon zoals ik het zeg! Waarom geloven jullie me niet?' Ze begint te huilen. 'Waren we maar nooit in dit huis komen wonen!' snikt ze wanhopig. 'Ik was nog liever in dat appartement van Bas gebleven dan hier.'

Van de weeromstuit begint Timmie ook te huilen.

'Heb je nou je zin?' roept Annes moeder boos. 'Nu is Timmie ook nog van streek.' Ze neemt hem op schoot en troost hem. 'Er zijn altijd toestanden met jou,' moppert ze over zijn hoofdje heen.

'Met mij? Met mij?' briest Anne. Dan valt haar blik weer op de andere Anne die verschrikt van de een naar de ander kijkt. 'Eigenlijk ben jij de oorzaak van alle toestanden,' valt ze opeens tegen haar uit. 'Trouwens, wat doe je hier eigenlijk?'

De andere Anne is even sprakeloos. 'Dat kan ik net zo goed aan jou vragen,' antwoordt ze dan vinnig.

'Ik woon hier,' bitst Anne. 'Bas heeft dit huis gekocht.'

'Mijn vader heeft het ook gekocht,' werpt de andere Anne tegen, 'en veel langer geleden dan jullie. Wij woonden hier dus het eerst.'

'Maar wij hebben het ten minste opgeknapt. Er zit een nieuwe keuken in en een nieuwe badkamer. Het is bij jullie maar een armoedige troep.'

'Dat komt omdat mijn vader niet zoveel verdient. Hij is korter gaan werken toen oma doodging. Hij moest toen voor Sanne en mij zorgen. Daarom is er geen geld om het huis op te knappen.'

Anne is er even stil van, maar dan krijgt haar boosheid weer de overhand. 'Dat zal allemaal best, maar zo kan het niet langer. Ik kan er niet meer tegen. Jullie moeten hier weg. Het huis is veel te klein voor twee families.'

De andere Anne begint nu ook boos te worden. 'Waarom gaan *jullie* niet weg?' snauwt ze. 'Jullie zijn hier het laatst komen wonen.'

Anne weet even niet wat ze daarop moet zeggen. Opeens is het of er een waas voor haar ogen trekt. 'Ik weet wel waarom je me hier weg wilt hebben!' roept ze. 'Je bent gewoon stikjaloers omdat wij een veel mooier huis hebben dan jullie. En ook omdat ik mijn moeder nog heb en jij…' Abrupt sluit ze haar mond. De andere Anne heeft zich omgedraaid en loopt met gebogen hoofd de keuken uit. Anne staat op.

'Waar ga je naartoe?' vraagt haar moeder.

'Achter haar aan,' antwoordt Anne. 'Zeggen dat het me spijt. Wat ik zei was heel gemeen.'

'Anne, ik wil dat je aan tafel gaat zitten. Het eten wordt helemaal koud. Ik heb niet voor niets gekookt.'

Weifelend kijkt Anne naar de deur waardoor de andere Anne is verdwenen.

'Je moet toch toegeven, Christa, dat dit heel overtuigend is,' hoort ze Bas zeggen.

Haar moeder zucht. 'Ze speelt gewoon heel goed toneel. Ze had op de basisschool niet voor niets de hoofdrol in de musical.'

'Ik weet het niet,' mompelt Bas. 'Ik ben geneigd Anne te geloven.'

Annes moeder schudt haar hoofd. 'Ik dacht dat jij wijzer was,' zegt ze nijdig.

Bas negeert haar opmerking en wendt zich tot Anne. 'Waar is dat meisje naartoe gegaan?' vraagt hij.

'Naar haar kamer, denk ik.'

'Waar is die?'

'Op zolder. Ze heeft dezelfde kamer als jij.'

Bas' mond zakt open. 'Dus als ik op mijn kamer ben, kan het zijn dat zij er ook is?'

'Ja, maar jij merkt er niets van. En zij ook niet. Zij kan jou alleen maar zien als ik erbij ben. Dus als ik ergens anders ben, kunnen jullie elkaar niet zien of horen.'

'Dus ik kan dwars door die andere Anne heenlopen, zonder dat ik het merk?'

Anne knikt. 'En zij door jou heen. Oma merkte het laatst ook niet, toen de andere Anne door haar heen liep.'

Bas verbleekt. 'Als dat zo is, vind ik dat een doodeng idee. Ik weet niet of…'

'Ik moet nu echt even naar de andere Anne toe,' valt Anne hem in de rede. 'Zeggen dat het me spijt. Ik ben zo weer terug.' Voordat ze haar tegen kunnen houden is ze de kamer uit. Ze gaat meteen door naar de zolder. De deur van Bas' kamer staat half open. 'Anne,' zegt ze terwijl hem verder open duwt. Ze ziet de andere Anne voor het raam staan. 'Ik had dat niet moeten zeggen daarnet,' begint ze meteen. 'Ik bedoel over dat je jaloers bent op hoe we wonen en dat ik wél een moeder heb. Vooral dat laatste was heel gemeen. Het spijt me echt en…'

'Het geeft niet,' valt de andere Anne haar in de rede. Ze draait zich om. 'We waren allebei boos en dan zeg je dingen die je niet meent. Het komt allemaal doordat we veel te veel op elkaars lip zitten. Wat dat betreft heb je gelijk: het huis is te klein voor twee families. Eigenlijk zou een van ons moeten verhuizen.'

Anne knikt. 'Dat zou het beste zijn, maar ik denk dat Bas hier niet weg wil. Hij heeft het hele huis laten verbouwen en er een hoop geld in gestoken.'

'Wij gaan hier voorlopig ook niet weg. Mijn vader kan misschien wel een baan vinden in de buurt van Doetinchem, maar het gaat om Sanne. Die moet naar een speciale school en in Doetinchem is voorlopig geen plaats voor haar.'

'Dus je vader wil daar wel naartoe?'

'Jawel.'

'Jij ook?'

'Aan de ene kant wel. Ik zou het fijn vinden als Paula mijn tweede moeder wordt, en dat we weer een echt gezin hebben. Maar aan de andere kant zou ik mijn vriendinnen missen als we gaan verhuizen.'

'Je vergeet Stijn.'

'Ja, Stijn…' De andere Anne zucht. Op dat moment hoort Anne voetstappen op de zoldertrap.

Een ogenblik later komt Bas binnen. Steels laat hij zijn ogen door de kamer gaan. 'Is ze hier?' vraagt hij.

'Ja, ze staat tegenover me,' antwoordt Anne.

'Hebben jullie het uitgepraat?'

'Ja.' Ze kijkt Bas wantrouwig aan.

'Ik weet niet goed wat ik ervan moet denken,' zegt hij, 'maar ik zie dat het voor jou allemaal heel echt is. Ik neem je dan ook serieus als je zegt dat die andere Anne bestaat.'

'Hmm,' zegt Anne alleen.

'Maar ik zou graag het hele verhaal willen horen,' gaat Bas verder. 'Je moeder heeft me er zonet het een en ander over verteld en ik besefte dat dit niet iets is dat iemand zomaar even verzint.'

Anne weet zo gauw niet wat ze moet zeggen. 'Dus je gelooft me?' vraagt ze ten slotte.

Bas aarzelt even. 'Ik weet niet wat ik moet geloven. Dat is het hem juist. Daarom wil ik het hele verhaal horen. Zou je me dat vanavond willen vertellen?'

Anne moet daar even over nadenken. Dan knikt ze. 'Dat wil ik wel. Tenminste, als mama maar niet weer boos wordt,' voegt ze er meteen aan toe.

Bas schudt zijn hoofd. 'Je moeder wil er liever niet bij zijn, heeft ze gezegd. Ik denk dat dat ook beter is. Ze is er emotioneel te veel bij betrokken.'

Anne kijkt naar de andere Anne. 'Mag zij er ook bij zijn?' vraagt ze.

Daar moet Bas weer over nadenken. 'Dat is goed,' zegt hij dan.

15

De volgende ochtend wordt Anne pas om elf uur wakker. Ze rekt zich uit. Eindelijk heeft ze weer eens goed kunnen slapen. Het heeft haar goed gedaan om alles wat ze de laatste weken heeft meegemaakt aan iemand te kunnen vertellen. Al was die iemand dan ook Bas. Maar hij luisterde ten minste, zonder haar in de rede te vallen. De andere Anne vulde haar zo nu en dan aan. Bas kon dat natuurlijk niet horen en daarom had ze alles herhaald.

Anne ziet hoe haar gordijn opeens opbolt door een windvlaag. Tegelijk rammelt haar raam aan het haakje. Ze komt overeind en trekt het gordijn een stukje open. Buiten drijven donkere wolken langs de hemel. Het ziet ernaar uit dat het gaat regenen. Ze had juist vanmorgen Zeist in willen gaan om toch wat kleren te kopen – maar eigenlijk meer nog om haar moeder te ontlopen. Die wil natuurlijk weten wat zij en Bas gisteren allemaal hebben besproken. Maar Anne is niet van plan om opnieuw met haar in discussie te gaan.

Met tegenzin slaat ze het dekbed van zich af en staat op. Eerst maar douchen. Ze zoekt haar kleren bij elkaar. Net wil ze de gang in stappen als ze de andere Anne de trap op ziet komen. Haar gezicht staat bedrukt.

'Ik kwam juist naar je toe,' zegt ze.

'Is er iets?' vraagt Anne.

Traag neemt de andere Anne de laatste paar treden. 'Toestanden met mijn vader,' zegt ze.

'Kom even binnen.' Anne doet een stapje opzij. 'Ik douch straks wel.' Ze sluit de deur. 'Vertel,' zegt ze.

De andere Anne zucht. 'Ik wou dat mijn vader mij net zo serieus nam als Bas jou,' barst ze opeens uit.

'Heb je hem verteld over gisteravond?' vraagt Anne.

De andere Anne knikt. 'Mijn vader liet me niet eens uitpraten.' Er verschijnen tranen in haar ogen. 'Hij werd kwaad. Hij zei dat hij dit er niet ook nog eens bij kon hebben. Vanmorgen heeft hij meteen een afspraak gemaakt met de huisarts. Om elf uur moeten we er zijn. Hij wil me meteen laten doorsturen naar zo'n psych.'

'Jeetje,' weet Anne alleen maar te zeggen.

'Ik wou dat ik mijn mond had gehouden,' verzucht de andere Anne.

'Dat hadden we van het begin af aan moeten doen,' zegt Anne. 'Dan hadden we al die problemen niet gehad. Ik heb een idee,' onderbreekt ze zichzelf opeens. 'Als we er nu eens niet meer over praten?'

'Wij met elkaar?'

'Nee, wij met onze ouders. Als we het er niet meer over hebben, denken ze misschien dat het over is. Dat we weer normaal zijn.' Anne maakt een gebaar van twee aanhalingstekens. 'Dan hoeven we misschien niet meer naar het gekkengesticht.'

De andere Anne grinnikt. 'We kunnen het proberen,' zegt ze. 'Maar dan moeten we er tegelijk voor zorgen dat ze ons niet met elkaar horen praten.'

Anne knikt. Met een lachje legt ze een vinger tegen haar lippen. 'Ssst,' sist ze.

Als Anne naar beneden gaat om een paar boterhammen klaar te maken, komt haar moeder de huiskamer uit. 'Heb je lekker geslapen?' vraagt ze.

'Jawel, hoor.'

'Wat ga je doen vandaag?'

'Ik weet nog niet.' Anne kijkt naar buiten. Er valt een miezerige regen. 'Ik wilde eigenlijk Zeist in gaan, maar ik kan beter wachten tot het droog is.'

Haar moeder knikt. Terwijl ze haar boterhammen smeert, vist haar moeder naar wat ze gisteravond aan Bas heeft verteld.

'Dezelfde dingen die ik ook aan jou heb verteld,' antwoordt ze stroef.

'En wat zei Bas?'

'Dat hij erover na wilde denken.'

'Is dat alles?'

'Ja.' Terwijl Anne een beker karnemelk inschenkt, voelt ze de irritatie alweer opkomen. Als ze nog langer wacht komt er weer ruzie van, weet ze. 'Ik moet opschieten, mam,' zegt ze daarom. 'Ik had Stijn beloofd dat ik om twaalf uur bij hem langs zou gaan.' Het is het eerste dat bij haar opkomt. 'En ik moet ook nog een paar mensen mailen,' voegt ze eraan toe. Ze legt de dubbele boterham op een bord, zet het glas ernaast en maakt aanstalten om weer naar haar kamer te gaan.

'Je eet dat brood toch wel op, hè?' zegt haar moeder. 'Want dit is wel het minimum voor iemand van jouw leeftijd.'

Anne zucht. 'Ja, heus wel, mam.' Voordat haar moeder nog iets kan zeggen, is ze de keuken uit. Op haar kamer zet ze het bord naast de computer en gaat er zelf naast zitten. Er is geen mail. Ze neemt een hap. Door al die toestanden kan ik niet eens gewoon beneden eten, denkt ze somber. Ze kijkt op haar horloge. Kwart voor twaalf. Ze kan zo naar Stijn. Als hij maar thuis is…

Een kwartier later gaat Anne zachtjes de trap af. In de kamer klinkt de stem van haar moeder. Ze is aan het bellen. Haastig pakt ze haar jack van de kapstok en loopt dan de keukendeur uit.

Stijns moeder doet open. 'Jij komt zeker voor Stijn,' zegt ze met een lachje.

Anne knikt. 'Is hij thuis?'

'Ja, hij is op zijn kamer.'

'Hoi,' klinkt het boven aan de trap. 'Kom boven.'

Terwijl ze de trap opgaat, vraagt Stijns moeder of ze thee of koffie willen. Stijn wil koffie, Anne heeft liever thee.

Stijn houdt de deur voor haar open. 'Ik wilde al naar jou toe gaan,' zegt hij, 'maar ik wist niet of je dat leuk zou vinden.'

Voordat Anne antwoord kan geven, komt Ollie de trap op gestormd. Enthousiast springt hij tegen haar op. 'Hij vindt het in elk geval leuk dat ik kom,' lacht ze.

'Ik ook,' zegt Stijn. Ollie wringt zich langs hem de kamer in. Afwachtend kijkt hij hem aan.

'Ga jij eens gauw terug naar beneden,' zegt Stijn gemaakt bars. Maar Ollie kwispelt alleen maar.

'Hij wil bij jou blijven,' zegt Anne.

Stijn glimacht even. Als hij de kamerdeur dicht doet, laat Ollie zich tevreden op de grond ploffen.

Onzeker blijft Anne midden in de kamer staan. Ze herinnert zich nog heel goed de vorige keer toen ze hier was. Ze had met een rood hoofd gezegd dat ze Marit later wel terug zou sms'en. Ze had zich zo opgelaten gevoeld dat ze niet wist waar ze moest kijken. Kort daarop was ze dan ook naar huis gegaan. En nu stond ze hier weer. Nerveus kijkt ze om zich heen op zoek naar een gespreksonderwerp. Opeens ziet ze in de vensterbank een stapeltje foto's liggen. Zo ontspannen mogelijk loopt ze er heen. Op de bovenste foto staat een waterval. In de rondstuivende waterdruppels tekent zich een regenboog af.

'Waar is die gemaakt?' vraagt ze.

'In Frankrijk,' antwoordt Stijn.

'Tijdens jullie vakantie?'

'Ja.'

'Mooie foto,' merkt Anne op. 'Wie heeft die gemaakt?'

'Ik.'

Bewonderend kijkt Anne hem aan. 'Mag ik de andere ook zien?' vraagt ze.

'Jawel, hoor.' Stijn pakt het stapeltje op en gaat ermee op zijn bed zitten. Anne kan niet veel anders doen dan naast hem gaan zitten.

'Ik heb niet alle vakantiefoto's laten afdrukken,' zegt hij, 'alleen de mooiste. De rest staat op mijn computer.'

Een voor een laat hij de foto's aan Anne zien en vertelt erbij waar ze gemaakt zijn. Hij heeft het over sluitertijden en diafragma's, over beelduitsnijding en lichtval. Hun hoofden zijn vlak bij elkaar. Anne hoort nauwelijks wat hij zegt. Ze voelt de warmte van zijn huid door de mouw van haar shirt. Heimelijk kijkt ze naar zijn pratende mond. Juist op dat moment draait Stijn zijn hoofd naar haar toe en voordat ze het weet, voelt ze zijn lippen op de hare. Even verstrakt ze, dan kust ze hem terug en met gesloten ogen ondergaat ze het heerlijke gevoel dat door haar heen stroomt.

Plotseling wordt ze ruw opzij gedrukt. Verschrikt opent ze haar ogen.

'Ollie!' roept Stijn. De hond staat half over hem heen en likt hem in het gezicht. 'Hij is jaloers geloof ik.' Stijn grinnikt een beetje verlegen.

Opeens wordt er geklopt. 'Doe eens open,' klinkt de stem van Stijns moeder. Stijn laat haar binnen. Ze heeft een dienblad in haar handen waarop twee mokken staan, een theepot en een koektrommel. Ze zet het in de vensterbank neer. 'Ik zie dat ik de suikerpot ben vergeten,' zegt ze. Meteen draait ze zich om en loopt de kamer weer uit. Ze laat de deur openstaan.

De betovering van daarnet is verbroken. Anne kijkt een beetje verward naar Stijn die een tas onder zijn bed vandaan haalt. Hij ritst hem open en haalt er een zwart met zilver fototoestel uit. Dan komt hij weer naast haar zitten.

'Kijk, hier heb ik die foto's mee gemaakt, een digitale spiegelreflex-camera.' Hij begint uitvoerig te vertellen over de vele mogelijkheden ervan. Het is alsof er niets tussen hen is gebeurd.

Even later komt Stijns moeder de kamer weer in met de suikerpot. 'Die camera heeft hij van zijn opa gehad,' zegt ze. 'Stijn maakt mooie foto's. Hij heeft er oog voor. Ik zie hem nog wel eens een beroemd fotojournalist worden.'

Stijn trekt een komisch verstoord gezicht. 'Overdrijf alsjeblieft niet zo, Els,' zegt hij.

Zijn moeder lacht alleen maar en gaat vervolgens de kamer uit.

Anne wacht tot het geluid van haar voetstappen op de trap verstomd is. 'Noem jij je moeder bij haar voornaam?' vraagt ze dan.

Stijn aarzelt even. 'Els is mijn moeder niet. Ik bedoel, niet mijn biologische moeder.'

'O,' weet Anne er alleen uit te brengen.

'Toen ze bij ons introk, stelde ze zelf voor dat ik haar bij de voor-naam zou noemen. Marnix noemt mijn vader ook bij zijn voornaam.'

Anne fronst.

'Marnix is de zoon van Els,' legt Stijn uit.

'O, ik dacht al,' zegt Anne. 'Jullie lijken helemaal niet op elkaar.'

Er trekt een wat wrang lachje om Stijns lippen. 'Nee, en onze karak-ters ook niet. We botsen nogal eens met elkaar, maar met Els kan ik goed opschieten. Ze is als een echte moeder voor me.'

'En je eigen moeder?' flapt Anne eruit.

Stijns gezicht wordt opeens gesloten. 'Dat vertel ik je nog wel eens,' zegt hij.

Anne wilde dat ze haar mond had gehouden. De vertrouwelijke sfeer is opeens verdwenen. Wat zou er met zijn moeder zijn dat hij zo terughoudend reageert? Zou ze soms niet meer leven, net als de moeder van de andere Anne? Dat zou wel heel toevallig zijn.

Ze kijkt hoe Stijn zijn fototoestel in de tas terug doet. Hij heeft dus ook een stiefmoeder; een tweede moeder, zoals de andere Anne het liever noemt en hij spreekt haar net als de andere Anne ook met de voornaam aan.

Opeens houdt ze haar adem in. En zij zelf dan? *Zij* heeft een stiefvá-der die ze ook bij de voornaam noemt. De overeenkomst tussen hen drieën is opmerkelijk. Of is het tussen hen vieren…? Er zijn immers ook twee Stijns, zoals ze heeft ontdekt. Zou de andere Stijn nog wél zijn eigen moeder hebben? Ze kijkt Stijn heimelijk van opzij aan. Een ogenblik speelt ze met de gedachte om hem te vertellen dat er een andere Anne is en ook een andere Stijn, maar ze doet het toch maar niet, bang dat hij, net als haar moeder, zal denken dat ze gek is.

Stijn schuift de cameratas weer onder zijn bed en staat op. 'Wil je thee?' vraagt hij.

'Ja, lekker.'

Even later zet hij een dampende mok voor haar op de grond. Daarna houdt hij haar de geopende koektrommel voor, maar vlak voordat ze er een koekje uit wil pakken, trekt hij hem terug. 'Eerst een zoen,' zegt hij.

Even wil ze die beduusd weigeren, maar dan geeft ze hem toch een snelle kus op zijn lippen. Ze krijgt een lange kus terug, maar die wordt onderbroken door de luide ringtoon van haar mobieltje.

'Dat zal Marit wel zijn,' zegt ze.

'Zeg maar dat we staan te zoenen en dat ze later terug moet bellen.' Stijn grijnst.

Anne kijkt op het schermpje: het is het nummer van thuis. 'Hoi, mam,' zegt ze een beetje ademloos.

'Ik ben het, Bas,' klinkt het in haar oor. 'Waar zit je?'

Anne wil al zeggen dat hij daar niets mee te maken heeft, maar ze slikt de woorden in. Bas zit toch op zijn werk? Zou er iets met haar moeder zijn? 'Bij Stijn,' antwoordt ze daarom.

'Ik ben eerder naar huis gekomen,' zegt Bas. 'Ik heb wat ontdekt.' In zijn stem klinkt een ingehouden spanning. 'Iets over die andere Anne en haar familie.'

Anne werpt een schuinse blik op Stijn. 'Wat dan?'

'Dat kan ik niet zo een twee drie over de telefoon vertellen. Daar is het veel te ingewikkeld voor. Kun je misschien thuiskomen?'

Wat heeft Bas nu weer? Wil hij misschien niet dat ze bij Stijn zit? Anne weifelt, maar dan wint haar nieuwsgierigheid het toch van haar achterdocht. 'Ik kom er zo aan,' zegt ze.

'Moet je naar huis?' vraagt Stijn. Zijn gezicht staat teleurgesteld.

Opnieuw weifelt ze. 'Ja, eigenlijk wel.'

'Zal ik met je meegaan?'

Anne krijgt het benauwd. Ze wil niet dat Stijn hoort over de andere Anne. 'Nee, ik moet mijn moeder ergens mee helpen,' verzint ze daarom snel. Ze buigt zich voorover en pakt haar mok van de grond. De thee is heet, maar ze kan het niet maken om weg te lopen zonder hem op te drinken. Als de mok bijna leeg is, staat ze op en zet hem op het dienblad.

'Kom je straks nog terug?' vraagt Stijn.

'Ja, natuurlijk,' antwoordt ze.

Stijn loopt met haar mee naar de voordeur. Na een snelle blik over zijn schouder, geeft hij haar nog een kus. Dan haast Anne zich naar huis.

16

Als ze de keuken binnen komt, staat Bas haar al op te wachten.

'Wat heb je ontdekt?' begint ze meteen.

'Dat vertel ik je zo,' antwoordt hij. 'Laten we eerst naar de huiskamer gaan. Je moeder is daar ook.'

'Moet mama er dan bij zijn?' vraagt ze terughoudend.

Bas knikt. 'Dat lijkt me wel het beste,' antwoordt hij. 'Misschien kan ik haar overtuigen dat die andere Anne geen hersenschim is.'

Anne kijkt hem onderzoekend aan. Bas lijkt nogal zeker van zijn zaak. 'Ben je speciaal daarvoor naar huis gekomen?' vraagt ze.

'Ja. Wat ik tegenkwam was zo bijzonder, dat ik er maar een middagje vrij voor heb genomen.'

Als Anne de kamer binnen komt, is haar moeder juist bezig thee in te schenken. 'Ik had je helemaal niet weg horen gaan,' zegt ze zonder op te kijken. Er klinkt een licht verwijt in haar stem.

'Je was aan het bellen en ik wilde je niet storen,' antwoordt Anne. Ze loopt naar de box waar Timmie met zijn beertje ligt te spelen en geeft hem een aai over zijn bolletje.

'Zeg voortaan toch maar even waar je naartoe gaat,' houdt haar moeder aan.

'Je hebt mijn mobiele nummer toch? Je kunt me altijd bereiken.' Anne laat zich in het hoekje van de bank ploffen. 'Dankjewel,' mompelt ze als haar moeder een kop thee voor haar neerzet. Ze kijkt afwachtend naar Bas die op de bank tegenover haar heeft plaatsgenomen. Hij wacht blijkbaar met vertellen tot mam klaar is en naast hem is gaan zitten.

'Ik heb vanmorgen op de zaak eens wat op internet rondgeneusd,' begint hij eindelijk, 'en ik ben daar iets tegengekomen, dat Annes vreemde ervaringen misschien kan verklaren.'

Annes ogen dwalen even naar haar moeder, maar die zegt niets.

'Het is een vreemd verhaal,' gaat hij verder, 'maar als dit waar is, dan is dat meisje dat Anne aldoor ziet geen fantasie.' Hij lijkt op een reactie van haar moeder te wachten, maar die komt niet. 'Hebben jullie wel eens van parallelle werelden gehoord?' vraagt hij dan.

Anne schudt van nee.

'Ik zal proberen het uit te leggen,' zegt Bas. 'Volgens sommige wetenschappers bestaan er naast onze wereld, parallelle werelden die sterk op de onze lijken maar er toch op een aantal punten van verschillen.'

'Zoals die van de andere Anne,' zegt Anne ademloos.

'Precies.'

'Maar hoe kan het dan dat ik die wereld zie?'

'Daarvoor moet ik eerst vertellen hoe die parallelle werelden ontstaan. De theorie van de parallelle werelden is ontwikkeld om bepaalde problemen in de kwantumfysica op te lossen. Het komt erop neer dat...'

'Het is dus maar een theorie,' onderbreekt Annes moeder hem.

Bas knikt. 'Maar wel een theorie die door een aantal natuurkundigen voor mogelijk wordt gehouden.'

'Het is mij allemaal veel te vaag,' sputtert ze tegen.

'Laat Bas nou eens uitspreken,' valt Anne tegen haar uit.

Met een verongelijkt gezicht pakt haar moeder haar theekopje van de salontafel.

'Die theorie zegt dat er elk ogenblik nieuwe parallelle werelden ontstaan,' gaat Bas verder. 'Je moet je voorstellen dat, telkens als een voorval plaatsvindt, er meerdere gevolgen denkbaar zijn. Elk van deze gevolgen wordt dan werkelijkheid in een nieuwe parallelle wereld. Zo ontstaan er verschillende werelden die naast elkaar bestaan. Vandaar het woord parallel, evenwijdig. Die werelden vertonen veel overeenkomsten, maar groeien in de loop van de tijd steeds verder uiteen.'

Het is of Annes hoofd te klein is voor wat Bas allemaal vertelt. Toch begrijpt ze het wel een beetje. 'Bedoel je met een voorval zoiets als dat ongeluk dat mama heeft gehad, toen ik klein was?'

Bas knikt. 'Het klopt precies met de theorie: het ongeluk kon op allerlei verschillende manieren aflopen, maar we kennen er maar twee van.' Anne ziet hoe hij de hand van haar moeder pakt. Het ontroert haar. 'Toen Sanne stierf, ontstond de wereld waarin wij nu leven.

De wereld van de andere Anne ontstond na het overlijden van haar moeder die in die tijd ook de jouwe was.'

Anne voelt hoe er plotseling tranen over haar wangen beginnen te lopen. 'Ik wist het,' fluistert ze. 'Mama is dus eigenlijk ook de moeder van de andere Anne.'

Bas knikt alleen maar.

'En papa… Is die dan ook de vader van de andere Anne?'

'Ja, maar na het ongeluk hebben de werelden zich gesplitst. Jouw vader en die van de andere Anne zijn dus nu niet meer dezelfde. Ze zijn in parallelle werelden terechtgekomen en hebben zich daar dus ook anders ontwikkeld.'

Het duizelt Anne. 'En opa en oma dan? Zijn die ook anders dan de opa en oma van de andere Anne? Want toen zij mijn oma zag, dacht ze dat het die van haar was.'

'Jouw oma en die van de andere Anne lijken natuurlijk nog op elkaar,' zegt Bas, 'maar ze zullen toch ook wel een beetje verschillen.'

Anne moet het allemaal even verwerken. Het verhaal van Bas heeft haar behoorlijk in verwarring gebracht. Ze heeft er een droge mond van gekregen. Ze pakt haar theekopje en drinkt het in één keer leeg. Opeens komt er een gedachte bij haar op. 'En ik dan?' vraagt ze. 'En de andere Anne? Wat zijn wij eigenlijk van elkaar?'

'In feite zijn jullie hetzelfde meisje, alleen dan in twee parallelle werelden.'

'Zou het daardoor komen dat ik de andere Anne wel kan zien en horen en jullie niet?'

'Ik denk het. Toevallig hebben we het huis gekocht, waar de andere Anne al woonde. Maar dan in de parallelle wereld. Door jullie is er een raakpunt ontstaan tussen die twee werelden en als gevolg daarvan kunnen jullie allebei die andere wereld waarnemen.' Als Bas is uitgesproken blijft het een poosje stil.

Dan schudt Annes moeder opeens haar hoofd. 'Ik moest het allemaal even op me in laten werken,' zegt ze, 'maar het kan niet. Wat je hebt verteld zit goed in elkaar, dat moet ik toegeven, maar het is pure science-fiction. Leuk voor in een boek, maar probeer me niet wijs te maken dat wat Anne waarneemt echt is.'

'Het is ook niet echt,' geeft Bas toe. 'Tenminste, niet zoals wij iets echt noemen. Het zijn beelden uit een parallelle wereld.'

'Wat een onzin! Besef je niet dat Anne door dit soort verhalen in haar fantasieën gesterkt wordt? Ze is toch al zo labiel de laatste tijd.'

'Ik ben helemaal niet labiel!' schreeuwt Anne opeens. 'Ik kan er alleen niet tegen dat je me niet gelooft. Ik ben niet gek! En ik ga ook niet naar een psycholoog.'

Bas maakt een geruststellend gebaar, wat haar nog bozer maakt. 'Ik begrijp best dat je moeder zich zorgen maakt,' zegt hij. 'Mij zat dat verhaal van die andere Anne ook niet helemaal lekker. Vandaar dat ik op internet ben gaan zoeken naar een verklaring. En toen stuitte ik op die theorie van die parallelle werelden.'

'Een theorie, ja.' Annes moeder maakt een schamper geluidje. 'Jij bent altijd iemand die met zijn beide benen op de grond staat, maar wat je daarnet allemaal verteld hebt, is wel heel erg zweverig.'

'Zweverig of niet, maar ik vind het idee dat er mensen uit een parallelle wereld hier in huis rondlopen een benauwende gedachte. En voor Anne moet het nog veel benauwender zijn. Zij kan die mensen niet alleen waarnemen, er is ook nog eens een verband met haar eigen geschiedenis. Daardoor is het niet alleen voor haar heel belastend, het beïnvloedt ons hele gezin. We kunnen zo niet verder. Ik heb er vanmorgen een hele tijd over nagedacht, maar de enige oplossing die ik zie is verhuizen.'

Annes mond zakt open. Hoe kan Bas dat zeggen? Hij is zo trots op dit huis. Hij heeft er zoveel werk in gestoken. Als hij dat voor haar over heeft…

Op dat moment gaat opeens de telefoon. Alledrie kijken ze als verstard naar het rinkelende toestel dat op de salontafel ligt. Anne is de eerste die in beweging komt. Ze kijkt op het schermpje. Het is haar vader. Ze haalt even diep adem om rustig te worden, dan drukt ze op de spreektoets. 'Hoi, pap,' zegt ze.

'Dag, meiske,' klinkt zijn stem. 'Ik zou je nog even bellen voordat we op vakantie gaan.'

'O, ja, dat is waar ook,' zegt ze mat.

'Is er iets?' vraagt hij.

'Nee, hoor. Wanneer vertrekken jullie?' spreekt ze er snel overheen.

'Morgenochtend vroeg. Over twee weken zijn we weer terug.'

'Twee weken?' herhaalt Anne. 'Volgens mij moet ik de maandag daarop naar mijn nieuwe school.'

'Zo gauw al?' Haar vaders stem klinkt teleurgesteld. 'Ik had gehoopt dat je nog een paar dagen deze kant op zou kunnen komen.'

'Nee, dat gaat niet meer. Maar misschien in de herfstvakantie...'

'Dat duurt nog zo lang. Ik heb je al een hele tijd niet gezien.'

'Je kunt toch ook hierheen komen?' Terwijl ze het zegt krijgt Anne een gedachteflits.

'Ja, dat zou natuurlijk kunnen.' Er valt een stilte waarin Anne haar vader gedempt met Suzan hoort praten. Intussen gaan Annes gedachten razendsnel.

'Suzan is heel benieuwd naar jullie huis,' gaat haar vader opeens verder. 'En ik eigenlijk ook wel. Zou je je moeder daarom willen vragen of het uitkomt als we de zaterdag na onze terugkomst bij jullie langskomen?'

Anne zou het liefst meteen vertellen wat ze bedacht heeft, maar ze houdt zich in en brengt de vraag aan haar moeder over. Mam kijkt in de agenda die bij de telefoon ligt. 'Die zaterdag hebben we niets,' zegt ze. 'Laten ze tegen half vier komen, dan is Timmie wakker. En misschien willen ze ook wel blijven eten.'

Anne wil haar moeders woorden herhalen, maar haar vader is haar voor. 'Ik heb het gehoord,' zegt hij. 'We eten graag mee, tenminste als het niet te veel moeite is.'

Anne staat op springen. Ze kan de opwinding die ze voelt nauwelijks onderdrukken. Zaterdag half vier, dan is de vader van de andere Anne altijd thuis. En als pap dan ook komt…

'Ben je er nog?' vraagt haar vader.

'Eh… ja.'

'Dan zien we elkaar over twee weken. Goed?'

'Ja, tot over twee weken. En een fijne vakantie nog,' zegt ze haastig. Ze verbreekt gelijk de verbinding. 'Mam, luister!' roept ze opgewonden. 'Ik kan straks het bewijs leveren dat de wereld van de andere Anne echt bestaat! Precies zoals de andere Anne en ik elkaar kunnen waarnemen, omdat we hetzelfde meisje zijn, maar dan in een parallelle wereld, zo…'

'Anne, hou op!' roept haar moeder. 'Hoor je zelf niet hoe…'

'Laat me uitspreken!' kapt Anne haar af. 'De vader van de andere Anne en die van mij zijn in feite ook dezelfde persoon. Als ze in dezelfde ruimte zijn, moeten zij elkaar dus ook kunnen waarnemen. Daarom heb ik een plan bedacht. Als papa hier over veertien dagen op bezoek komt, kan jij er dan voor zorgen dat we om bijvoorbeeld vier uur thee drinken in de huiskamer?'

Haar moeder knikt met tegenzin.

'Dan vraag ik aan de andere Anne of zij ervoor kan zorgen dat haar vader om vier uur de huiskamer binnenkomt. Als de twee vaders elkaar dan kunnen zien en met elkaar kunnen praten, dan is dat het bewijs!' Triomfantelijk kijkt Anne haar moeder aan.

Bas knikt peinzend. 'Dat zou inderdaad het bewijs zijn dat de theorie van de parallelle werelden klopt,' mompelt hij. 'Het is in elk geval het experiment waard.'

'Ja!' roept Anne enthousiast. 'En als Sanne dan ook meekomt, dan kan pap haar ook eens zien! In onze wereld leeft ze niet meer, maar…'

Op dat moment springt Annes moeder overeind. 'Jullie zijn allebei hartstikke gek geworden,' schreeuwt ze. Huilend loopt ze de kamer uit.

17

Verbouwereerd kijkt Anne haar moeder na. Dan haast Bas zich achter haar aan. Terwijl zijn zware voetstappen de trap op gaan, begint Timmie te huilen. Anne zucht. Ze staat op en tilt haar broertje uit de box. 'Stil maar,' fluistert ze. 'Mama is niet boos op jou. Ze is boos op mij omdat ik aldoor weer over Sanne begin.'

'Dat kun je ook beter niet doen,' klinkt het opeens achter haar. 'Het maakt je moeder alleen maar van streek.'

Anne draait zich om. Vanuit de serre komt de andere Anne tevoorschijn.

'Ik had je helemaal niet gezien,' zegt Anne verbaasd.

'Nee, dat kan kloppen. Ik wilde jullie niet storen, daarom wachtte ik hier. Ik wilde je namelijk alleen spreken.' Ze komt dichterbij tot haar gezicht vlak bij dat van Timmie is. 'Kiekeboe,' zegt ze. Meteen houdt Timmie op met huilen en kijkt verbaasd in haar richting.

'Het is of hij me hoort,' lacht ze.

'Dat lijkt maar zo,' zegt Anne.

De andere Anne kan haar ogen niet van Timmie afhouden. 'Ik wou dat ik zo'n broertje had,' zegt ze. Opeens steekt ze aarzelend haar hand naar hem uit. Als in een reflex draait Anne zich van haar weg en gaat met Timmie aan de andere kant van de bank staan. Even is er weer dat oude wantrouwen. Het is of Timmie het ook voelt, want hij klemt zijn armpjes stijf om haar nek.

'Waarover wilde je me eigenlijk spreken?' Anne hoort zelf hoe afwerend haar stem klinkt.

'Ik kom je iets heel belangrijks vertellen. Iets waar Bas ook wel blij mee zal zijn.'

'Wat heeft Bas ermee te maken?'

'Ik hoorde daarnet wat hij zei: dat de enige oplossing verhuizen was. Maar dat hoeft helemaal niet. Jullie hoeven hier niet weg.'

'Hoezo niet?'

'Omdat wíj gaan verhuizen.'

Anne is te verbouwereerd om iets te zeggen.

'Dat was wat ik kwam vertellen,' zegt de andere Anne.

Anne is nog steeds sprakeloos. 'Waar gaan jullie dan naartoe?' kan ze er eindelijk uitbrengen.

'Naar Doetinchem. Mijn vader en Paula gaan eindelijk samenwonen. Voorlopig zitten we in huis bij Paula. Het is niet zo groot, maar we gaan later wel op zoek naar een ander huis.'

Het moet even tot Anne doordringen. Dus ze trekken bij Paula in. Net als haar moeder en zij bij Bas zijn ingetrokken. Het is weer een van die wonderlijke overeenkomsten tussen haar leven en dat van de andere Anne. Zou dat nou komen omdat ze in parallelle werelden leven? Opeens komt er een vraag bij haar op. 'Gaan je vader en Paula ook trouwen?'

'Daar hebben ze het nog niet over gehad, maar ik hoop het wel.'

Anne herinnert zich weer de dag dat haar moeder haar vertelde dat ze ging trouwen met Bas. Ze had het vreselijk gevonden. En toen ze hoorde dat ze ook nog eens zwanger was... 'Is Paula soms in verwachting?' vraagt ze in een opwelling.

'Nee, tenminste, niet dat ik weet.' De andere Anne lijkt even in verwarring. 'Nee, we gaan verhuizen omdat mijn vader een paar dagen geleden een telefoontje kreeg van die school in Doetinchem, waar Sanne al een poosje stond ingeschreven. Er blijkt opeens een plaats te zijn vrijgekomen. Mijn vader is nu van alles aan het regelen, want er moet nog een heleboel gebeuren voor we weggaan. Het huis moet te koop worden gezet en...'

'Gaan jullie het huis verkopen?' valt Anne haar verschikt in de rede. 'En wij dan?'

'Ik weet het niet,' antwoordt de andere Anne. 'Ik hoop voor jou dat de mensen die het huis kopen aardig zijn.'

Anne is er even ontdaan van. 'En als dat niet zo is?'

'Ik weet het niet.' De andere Anne kijkt haar hulpeloos aan. Dan klaart haar gezicht plotseling op. 'Die andere mensen zal je waarschijnlijk nooit tegenkomen,' zegt ze. 'Je zal ze niet kunnen waarnemen. De kans dat er een verband bestaat tussen de parallelle werelden van die nieuwe mensen en jouw familie is oneindig klein.'

Omdat Timmie weer begint te jengelen, geeft Anne hem een koekje en zet hem terug in de box. 'Dus je hebt gehoord wat Bas vertelde?' vraagt ze.

'Ja, natuurlijk. Ik stond vlak om de hoek achter de schuifdeuren.'

'Wat vond je ervan?'

De andere Anne denkt even na. 'Het lijkt me heel aannemelijk,' zegt ze. 'Het zou in elk geval een heleboel verklaren.'

'Heb je ook gehoord van mijn plan om als test een ontmoeting te organiseren tussen jouw vader en die van mij?'

'Ja. Dat zou inderdaad het beste bewijs zijn voor het bestaan van parallelle werelden, alleen zal dat niet gaan.'

'Waarom niet?'

'Omdat we gaan verhuizen. Dat zei ik toch?'

'Zo gauw toch niet?'

'Jawel. Mijn vader wil over zijn voordat het nieuwe schooljaar begint. Dan kan Sanne meteen na de vakantie op die school in Doetinchem beginnen. En hetzelfde geldt voor mij.'

'Maar mijn vader komt zaterdag over twee weken hier langs.'

'Ja, en wij verhuizen de vrijdag ervoor.'

'Kunnen jullie dan niet een paar dagen wachten?'

'Nee. Mijn vader heeft met veel moeite nog een verhuizer kunnen regelen.'

'Maar dan valt mijn hele plan in duigen!' roept Anne.

'Welk plan?' hoort ze opeens achter zich. Ze draait zich om. In de deuropening staat Bas.

Anne weet zo gauw niet wat ze moet zeggen. Wat heeft hij gehoord van haar gesprek met de andere Anne? Hoe zal hij reageren als hij hoort dat ze gaat verhuizen en dat het experiment dus niet door kan gaan? Zal hij haar nog wel geloven?

'Gewoon iets dat ik bedacht had,' zegt ze daarom. 'Iets dat alleen de andere Anne en mij aangaat.'

Bas trekt even zijn wenkbrauwen op. 'Is ze hier dan?' vraagt hij.

'Ja, je hoorde me toch met haar praten?'

'Waar is ze?'

Anne gebaart met haar hoofd in de richting van de andere Anne. 'Ze staat daar, bij de televisie.'

Bas volgt haar blik. Opeens haalt hij met een zucht zijn schouders op. 'Ik moet even naar de drogist,' zegt hij. 'Je moeder heeft hoofdpijn en de paracetamol is op. We praten straks wel verder.' Zonder op een antwoord te wachten draait hij zich om en loopt de kamer uit. Even later slaat de voordeur dicht.

'Waarom vertelde je hem niet gewoon dat het plan niet doorgaat?' vraagt de andere Anne.

'Dat begrijp je toch wel? Die ontmoeting tussen jouw vader en de mijne moest het bewijs leveren dat jouw wereld echt bestaat. Maar nu jullie gaan verhuizen, kan dat niet meer. Bas zal denken dat ik die verhuizing verzonnen heb omdat ik anders moet toegeven dat ik jou heb verzonnen.'

'Ik voel me toch behoorlijk echt.' De andere Anne lacht even.

'Ja, lach er maar om. Maar ik vindt het knap vervelend. Bas is namelijk de enige die me serieus neemt.' Op het moment dat ze het zegt, beseft ze dat er iets veranderd is in haar houding ten opzichte van hem. Even probeert ze de weerzin die ze tegen hem voelde weer op te roepen, maar het lukt haar niet meer.

'Misschien kan ik iets bedenken zodat mijn vader die zaterdag nog een keer terug moet komen,' zegt de andere Anne opeens.

'Hoe dan?' Hoopvol kijkt Anne haar aan.

'Ik zou hier iets in huis achter kunnen laten. Iets dat ik beslist nodig heb als ik weer naar school ga bijvoorbeeld.'

'Je rugzak,' zegt Anne.

De andere Anne knikt. 'Ja, dat is een idee. Dan kom ik er zogenaamd pas achter dat ik hem hier heb laten staan, als we al in Doetinchem zijn. Mijn vader heeft dan natuurlijk geen zin om meteen terug te rijden naar Zeist. Maar ik zal mijn best doen om hem zover te krijgen dat hij de volgende dag met me meegaat om hem op te halen.'

'O, als je dat zou willen doen…' Bijna was ze de andere Anne om de hals gevlogen, maar net op tijd weet ze zich in te houden.

Opeens dringt het tot haar door dat ze haar straks niet meer tegen zal komen. Het huis zal leeg zijn zonder de andere Anne. Behalve haar moeder en Bas zal ze niemand meer hebben om mee te praten…

Maar gelukkig heeft ze Stijn nog. Stijn! Verschrikt kijkt ze op haar horloge. Het is al over enen!

'Wat is er?' vraagt de andere Anne.

Anne aarzelt even. 'Ik had afgesproken met Stijn,' zegt ze om het niet ingewikkelder te maken.

'Dan ga je toch naar hem toe?'

Anne schudt haar hoofd. 'Ik kan mijn broertje niet alleen laten.'

'Ik pas wel op hem,' biedt de andere Anne aan.

'Ja, hoor. Een onzichtbare oppas; zie je het zitten?'

De andere Anne grinnikt. Op dat moment gaat de telefoon. Anne neemt op. 'Met Anne,' zegt ze.

'Waar blijf je?' klinkt het aan de andere kant van de lijn.

'S…sorry,' stamelt ze. 'Ik had je natuurlijk meteen moeten bellen, maar ik kan hier nu niet weg. Ik moet op mijn broertje passen.'

De andere Anne kijkt haar vragend aan. Geluidloos vormen Annes lippen de naam Stijn.

'Zal ik dan naar jou toekomen?' vraagt hij.

Anne aarzelt even. Stel je voor dat Bas tegenover Stijn over die parallelle werelden begint… 'Nee, beter van niet,' zegt ze. 'Mijn moeder is ziek.'

'Toch niets ernstigs?' vraagt Stijn.

Vanuit haar ooghoeken ziet Anne dat de andere Anne van plan is om de kamer uit te gaan. Bij de deur naar de gang draait ze zich nog een keer om en doet alsof ze iemand innig kust. Anne steekt haar tong naar haar uit. Dan is ze weg.

'Er is toch niets anders aan de hand?' dringt Stijn aan. 'Ik zag Bas net in zijn auto wegscheuren.'

Anne fronst. Hij zal toch niet denken dat mam en Bas ruzie hebben? 'Nee, hoor,' zegt ze vlug. 'Dat is zijn normale manier van wegrijden.' Haar stem klinkt gemaakt luchtig. 'Mijn moeder heeft nogal erge hoofdpijn en Bas is naar de drogist om paracetamol te halen.'

'O,' zegt Stijn alleen.

'Ik kom zo gauw mogelijk naar je toe,' zegt Anne zacht. 'Goed?'

'Ja.' Het blijft even stil. 'Ik verlang naar je,' zegt hij opeens.

Anne krijgt het er warm van. Net wil ze antwoorden dat ze ook naar hem verlangt, als ze een autoportier dicht hoort slaan. 'Daar heb je Bas,' zegt ze. 'Tot zo.' Ze verbreekt de verbinding.

Even later steekt Bas zijn hoofd om de huiskamerdeur. Timmie steekt blij zijn armpjes naar hem uit, maar Bas lijkt het niet te zien. 'Heeft er soms iemand van mijn werk gebeld?' vraagt hij. En als ze niet meteen antwoord geeft, voegt hij er verklarend aan toe: 'Ik zag door het raam dat je aan het bellen was.'

'Nee, Stijn belde,' antwoordt ze een beetje stroef. 'Hij vroeg of ik nog kwam.'

Bas aarzelt even. 'Ga maar,' zegt hij.

'En Timmie dan?'

Bas denkt een ogenblik na. 'Misschien kan je nog een paar minuten blijven. Ik moet alleen je moeder even haar paracetamol brengen en misschien wil ze ook iets eten en drinken.'

Anne voelt zich opeens schuldig. Ze heeft helemaal niet meer aan haar moeder gedacht. Ze had toch op zijn minst even boven bij haar kunnen gaan kijken. Terwijl Bas de kamer uit loopt, begint Timmie teleurgesteld te huilen.

'Papa komt zo terug,' zegt ze tegen hem, maar hij gaat alleen maar harder huilen. Zoekend kijkt ze om zich heen naar iets waarmee ze hem kan troosten. Maar dan komt Bas de kamer alweer binnen.

'Je moeder slaapt,' zegt hij.

'O,' is alles wat ze weet uit te brengen.

Bas tilt Timmie uit de box. Hij is meteen stil. 'Heeft hij al een boterhammetje gehad?' vraagt Bas.

'Daar heb ik helemaal niet aan gedacht,' reageert Anne verschrikt.

'En jij? Jij hebt zeker ook nog niet gegeten?'

'Nee.' Anne schudt haar hoofd. 'En jij natuurlijk ook niet,' voegt ze eraan toe. Opeens neemt ze een besluit. 'Zal ik de tafel dekken en een eitje bakken?' vraagt ze. 'Daar heb ik best wel trek in.'

Bas is er een ogenblik stil van. 'En Stijn dan?'

'Die wacht nog wel even,' antwoordt ze.

18

In de dagen die volgen ziet Anne dat er in de voortuin opeens een bord met TE KOOP staat. Ook staan overal dozen; de andere Anne en haar vader zijn druk aan het inpakken. Door alle drukte is er weinig tijd om even een praatje te maken, maar dat komt goed uit. Haar moeder is een stuk minder gespannen sinds ze haar niet meer hoort praten met de andere Anne. Ze heeft het tenminste niet meer over die psycholoog. Alleen Bas informeert zo nu en dan of ze de andere Anne nog gezien heeft. Ook de vader van de andere Anne heeft nog geen afspraak gemaakt met een psychiater.

Maar hoe dichter de dag van het experiment nadert, des te nerveuzer wordt Anne. Wat zal haar vaders reactie zijn als hij zijn evenbeeld ziet? Zal hij net zo schrikken als zijzelf? Als hij maar niet meteen wegloopt. Het mooiste zou zijn als die twee met elkaar gingen praten. Jammer dat Sanne er niet bij is, maar misschien is dat maar beter ook. Wie weet hoe emotioneel haar vader wordt, als hij ziet dat ze in een rolstoel zit.

Op vrijdagochtend wordt Anne al vroeg wakker. Ze heeft speciaal haar wekker gezet om niets van de verhuizing te missen. Bovendien wil ze nog afscheid nemen van de andere Anne. Vlug komt ze haar bed uit en kleedt zich aan. Douchen komt later wel. Ze opent haar gordijnen en kijkt naar buiten. De auto van Bas staat er niet meer, die is al naar zijn werk.

Als ze de deur van haar kamer opendoet, ziet ze hoe de andere Anne samen met haar vader bezig is om haar bureautje de zoldertrap af te sjouwen. Verbaasd blijft Anne in de deuropening staan. Er zou toch een verhuizer komen? In het voorbijgaan maakt de andere Anne met een blik duidelijk dat ze het straks wel uitlegt. Anne knikt. Ze wacht nog even tot ze erlangs kan en gaat dan vlug de badkamer in.

Een paar minuten later is ze klaar. Net als ze naar beneden wil gaan, steekt haar moeder haar hoofd om de deur van Timmies kamertje. 'Hé, ben je al wakker?' vraagt ze.

'Ja, ik kon niet meer slapen,' antwoordt Anne.

'Ik ben hier boven nog even bezig,' zegt haar moeder. 'Wil jij intussen de tafel dekken?'

Anne zucht onhoorbaar. 'Ja, dat is goed.'

Beneden staat de voordeur open. Tot haar verbazing ziet ze haar oude bureautje op de stoep voor het huis staan. Dan moet ze snel opzij springen, want de andere Anne en haar vader komen de huiskamer uit met de eetkamertafel. Ook die wordt aan de weg gezet. Anne vlucht de keuken in en ziet hoe ook het bankstel het huis uit wordt gedragen. De eetkamerstoelen en nog meer spullen volgen.

Even later doet de vader van de andere Anne de deur dicht en gaat de trap op. Snel komt de andere Anne even de keuken in. 'Dat gaat allemaal naar de kringloopwinkel,' fluistert ze. 'Die komen het zo ophalen.'

'Het bureautje ook?' vraagt Anne.

'Ja. In het huis van Paula is er geen plaats voor. Ook niet voor het bankstel. Trouwens, zodra we een ander huis hebben gevonden, nemen we toch allemaal nieuwe meubels.'

Anne is sprakeloos. Dit heeft ze bijna precies zo meegemaakt, toen ze naar het appartement van Bas verhuisden. Net wil ze dat vertellen, als de andere Anne geroepen wordt.

'Ik kom eraan, pap,' antwoordt ze. 'Kom straks even naar mijn kamer,' fluistert ze erachteraan.

Anne knikt. Verstrooid begint ze de tafel te dekken. Ze ziet niet eens dat haar moeder met Timmie de keuken binnen komt.

'Waar zit jij met je gedachten?' hoort ze haar opeens zeggen. 'Voor het ontbijt zijn toch geen onderzetters nodig?'

'Wat geeft dat nou,' moppert Anne. Ze legt ze terug in de la. Terwijl ze de rest van de ontbijtspullen pakt, zet haar moeder Timmie in zijn kinderstoel en strikt zijn slabbetje. Ongeduldig timmert hij met zijn handjes op de tafel. Pas als er een boterham voor hem neer wordt gezet, is hij stil.

Tijdens het eten zegt Anne niet veel. Zo nu en dan kijkt ze tersluiks op haar horloge. Om negen uur komen de verhuizers en daarvoor wil ze nog naar de andere Anne toe.

'Moet je soms ergens heen?' vraagt haar moeder opeens.

'Nee,' antwoordt Anne verschrikt. Dan herstelt ze zich. 'Ik wilde Marit eigenlijk even bellen. Ze is gisteravond thuisgekomen van vakantie.'

'Gisteravond? Dan zal ze nog wel niet wakker zijn.'

'Jawel, hoor. Marit is altijd heel vroeg op.' Anne steekt de laatste hap van haar boterham in haar mond. 'Mag ik nu van tafel?'

'Nou, vooruit dan maar,' zegt haar moeder.

In een ogenblik is ze de keuken uit en haast zich de trap op. Onder aan de zoldertrap blijft ze weifelend staan. Zou mam naar boven komen? Nee, ze kan Timmie niet alleen laten. Stilletjes sluipt ze naar boven. 'Anne,' roept ze met haar mond bij het sleutelgat.

De deur wordt meteen geopend, alsof de andere Anne haar al verwachtte. In de kamer hangt weer de bekende mist. Anne is er al helemaal aan gewend. De ruimte ziet er onttakeld uit. De gordijnen zijn weg en overal staan dozen.

De andere Anne wenkt haar met een geheimzinnig gezicht. 'Kom eens mee.' Ze duwt de schuifwand naast het raam opzij en doet een stapje naar achteren. 'Kijk daar eens,' zegt ze.

Anne gluurt in de donkere ruimte. Rechts tegen de muur ligt iets op de grond.

'Mijn rugzak,' fluistert de andere Anne. Zachtjes sluit ze de schuifwand weer.

'Zal je vader wel alleen voor een rugzak terug willen komen?' vraagt Anne.

'Hij zal wel moeten.' De andere Anne lacht even. 'Mijn rekenmachientje zit erin en al mijn schoolspullen. Die heb ik volgende week wél nodig.'

Anne knikt. Ze moet het maar aan haar overlaten. 'Waar is Sanne eigenlijk?' vraagt ze.

'Die is bij Paula.'

'Dus dan zie ik haar niet meer.'

De andere Anne aarzelt even. 'Nee,' zegt ze dan, 'tenzij je een keer naar Doetinchem komt. Ik geef je straks het adres wel.'

'Zouden we elkaar daar ook kunnen zien?'

'Ik denk het wel. Wij vormen immers de schakel tussen de twee werelden.'

Anne knikt peinzend. 'Jullie kunnen natuurlijk ook hier naartoe komen,' zegt ze hoopvol. Terwijl ze het zegt, weet ze dat het er niet van zal komen. 'We zouden kunnen proberen elkaar te bellen,' bedenkt ze opeens.

De andere Anne schudt haar hoofd. 'Ik denk niet dat er een telefoonverbinding is tussen onze werelden.'

Anne is er even stil van. 'Ik zal je missen,' zegt ze opeens.

'Ik jou ook.' De andere Anne zucht. 'Raar hoor,' zegt ze. 'We kunnen elkaar als afscheid niet eens een zoen geven.'

'Nee.'

'Geef Stijn die zoen maar,' zegt de andere Anne opeens.

Anne glimlacht. 'En geef jij jouw Stijn ook maar een…' Ze stopt abrupt. 'Je ziet hém natuurlijk ook niet meer,' zegt ze verschrikt. 'Wéét hij eigenlijk wel dat je gaat verhuizen?'

'Ja. Zodra ik het wist heb ik hem gebeld.'

'En?'

'Hij vond het natuurlijk niet leuk. Maar we kunnen met elkaar bellen en we hebben allebei een webcam. Hij heeft ook beloofd om langs te komen.'

Buiten klinkt opeens het geluid van een vrachtauto. Allebei kijken ze uit het raam. Beneden langs het trottoir stopt een verhuiswagen.

'Daar heb je ze,' zegt de andere Anne. 'Ik moet naar beneden.'

Anne loopt achter haar aan de zoldertrap af. 'Waar zijn die spullen eigenlijk gebleven, die naar de kringloop zouden gaan?' vraagt ze.

'Die zijn daarnet al opgehaald.'

Terwijl de andere Anne de volgende trap afgaat, blijft Anne weifelend voor haar kamerdeur staan. Wat zal ze doen? Beneden komt ze waarschijnlijk weer terecht in de wereld van de andere Anne en daar heeft ze nu even geen zin in. Ze gaat haar kamer binnen en sluit de deur. Ze kan de verhuizing net zo goed vanuit haar raam volgen. Maar als ze naar buiten kijkt is er geen verhuiswagen te zien.

Ze had het kunnen weten. Ze kan de wereld van de andere Anne alleen waarnemen als ze in haar nabijheid is. Met een zucht laat ze zich achterover op bed vallen en staart naar het hagelwitte plafond. De andere Anne en haar vader zullen alleen zaterdag nog een keer langskomen, dan is alles voorbij. Ze zal hen niet meer tegenkomen in huis. En ook Sanne niet. Haar hart knijpt samen. Eigenlijk is het toch haar zusje. Ze heeft haar veel te weinig gezien. Ze had haar beter willen leren kennen en nu kan dat niet meer. Maar in feite geldt hetzelfde voor de andere Anne. Zij zal haar moeder niet meer zien. Zij zal in Doetinchem verder gaan in haar eigen wereld, met Paula als haar stiefmoeder. Tweede moeder moet ze eigenlijk zeggen. Anne knikt onwillekeurig. Stiefmoeder is inderdaad een rotwoord en stiefvader ook. Haar gedachten dwalen af naar Bas. Sinds hij heeft gezegd dat hij bereid was om speciaal voor haar te verhuizen, is er iets in haar veranderd. Vanaf dat moment is ze hem met andere ogen gaan zien. Misschien wordt het tijd om dat woord stiefvader maar te schappen. Haar biologische vader zal altijd haar eerste vader blijven, maar Bas is gewoon haar tweede vader. Bovendien is hij de vader van Timmie en ze wil immers ook niet dat die haar stiefbroertje wordt genoemd.

Opeens daalt er een vredigheid in haar neer die ze lange tijd niet heeft gevoeld. Ze zullen straks alleen nog maar met zijn vieren in huis zijn. Geen andere Anne meer, geen Sanne, geen vader die op haar eigen vader lijkt, geen Paula. Alleen nog maar mama, Bas, Timmie en zijzelf. Alles zal anders worden.

'Hé, slaapkop.'

Anne opent verschrikt haar ogen en ziet de andere Anne naast haar bed staan.

'Het is zover,' zegt ze. 'We gaan vertrekken.'

Het duurt even voordat de woorden tot Anne doordringen. 'Nu al?' zegt ze.

'Ja. De verhuizers staan op het ogenblik in de keuken koffie te drinken, maar als dat op is gaan we weg.'

Haastig komt Anne overeind. In een moment van draaierigheid wil ze zich aan de andere Anne vasthouden, maar ze grijpt in het niets. Ze schrikt er niet eens meer van. 'Ik loop met je mee. Sorry dat ik in slaap ben gevallen,' zegt ze terwijl ze de trap af lopen.

'Geeft niets,' zegt de andere Anne. 'Het was een heel heen en weer geloop in huis, je hebt er niets aan gemist.' Ze gebaart dat Anne haar mond moet houden. 'Mijn vader staat met de verhuizers in de keuken,' fluistert ze. Ze gaat Anne voor naar de hal. De voordeur staat open. Ze gaan buiten staan.

Anne kan de verhuiswagen nu wel zien. De laaddeuren zijn gesloten. Ook het bord in de voortuin met TE KOOP erop is weer zichtbaar. Het is maar goed dat haar moeder en Bas het niet kunnen zien. Volgens de andere Anne zijn er nog geen kopers geweest. Anne maakt zich daar wel een beetje zorgen over. Stel je voor dat ze de nieuwe bewoners straks toch door het huis ziet lopen, als de familie van de andere Anne allang vertrokken is. Wat moet ze dan? De andere Anne beweert dat het niet kan, maar die heeft er geen last meer van.

'Ik zal je missen,' onderbreekt de andere Anne haar gedachten. 'Maar ik ben ook wel opgelucht dat we weggaan. Het maakt me erg verdrietig als ik mijn moeder aldoor zie. Dan merk ik pas hoe ik haar al die jaren heb gemist.'

'Maar je hebt nu toch Paula?' probeert Anne haar te troosten. 'Dat wordt nu je tweede moeder. En van je eerste moeder weet je dat ze leeft, al is het dan in een andere wereld.'

De andere Anne knikt alleen.

Daarom gaat Anne maar verder. 'Ik ben blij dat ik mijn zusje heb gezien,' zegt ze. 'Ik vind het jammer dat ik haar niet beter heb leren kennen. Wil je haar zo nu en dan een knuffel van me geven?'

De andere Anne glimlacht even. 'Als jij belooft om wat aardiger tegen Bas te doen,' zegt ze. 'Hij is niet volmaakt, maar hij doet vreselijk zijn best om…'

'O, ben je daar,' klinkt het opeens achter hen. Anne kijkt om. Het is de vader van de andere Anne.

'We gaan zo weg,' zegt hij. 'Ik loop nog even het huis door om te kijken of we niets hebben vergeten.' Hij draait zich om en verdwijnt weer naar binnen.

Anne kijkt de andere Anne verschrikt aan. Die schudt geruststellend haar hoofd. 'Die rugzak ziet hij heus niet,' zegt ze.

Achter zich hoort Anne opeens zware voetstappen naderen. Ze springt opzij om de verhuizers te laten passeren.

'Tot straks,' zegt een van hen.

'Tot straks,' antwoordt de andere Anne.

De mannen lopen nog een keer om de verhuiswagen heen en stappen dan in. Even later wordt hij gestart. Anne kijkt hem na, terwijl hij de straat uit rijdt.

'Hoe laat zou jouw vader hier morgen ook alweer zijn?' vraagt de andere Anne als het geluid verstomd is.

'Tegen drie uur, maar Suzan en hij blijven eten, dus als jullie er zo rond vier uur zijn, dan…'

'Kijk eens wat ik heb gevonden?'

Anne en de andere Anne draaien zich tegelijkertijd om. De vader van de andere Anne staat in de deuropening en houdt triomfantelijk een zwarte rugzak omhoog.

'O, nee,' kan Anne er alleen uitbrengen.

'W…waar heb je die gev…vonden?' stottert de andere Anne.

'Achter de schuifwand in je kamer,' antwoordt haar vader. 'Er zitten nog allemaal schoolspullen in.'

De andere Anne kan geen woord uitbrengen. Hulpeloos kijkt ze naar Anne.

'Ik neem aan dat je die nodig hebt op je nieuwe school,' gaat haar vader verder.

De andere Anne knikt.

'Dan is het maar goed dat ik nog even heb rondgekeken. Kom, laten we gaan. Ik wil er eerder zijn dan de verhuizers.' De vader van de andere Anne trekt de voordeur achter zich dicht, loopt de voortuin uit en slaat linksaf.

'Waar gaat je vader naartoe?' vraagt Anne.

'Onze auto staat een eindje verderop in de straat.' De andere Anne begint alvast het tuinpad af te lopen. 'Ik moet nu gaan,' zegt ze, 'maar ik zal mijn best doen om een smoes te bedenken, zodat mijn vader en ik morgen toch nog een keer terug moeten.' Haar stem verraadt twijfel. Dan steekt ze haar hand op. 'Doei,' zegt ze, 'en misschien tot morgen.'

Anne wuift aarzelend terug. Ze heeft er weinig hoop op. Terwijl ze de andere Anne nog één keer nawuift, ziet ze het bord met TE KOOP erop langzaam vervagen.

Opeens ziet ze vanuit haar ooghoeken haar moeder voor het raam van de huiskamer staan. Ze kijkt in de richting waarin de andere Anne verdwenen is. Zou ze haar hebben gezien? En hoe lang staat ze daar al? Om haar te ontlopen, gaat Anne achterom naar binnen.

'Naar wie wuifde je?' vraagt haar moeder als ze de keuken binnen komt.

Even overweegt Anne om te zeggen dat ze de overbuurvrouw groette, maar dan besluit ze de waarheid te vertellen. 'Ik zwaaide de andere Anne uit,' zegt ze. Als vanzelf springen er tranen in haar ogen.

'Waar is ze heen?' vraagt haar moeder.

'Naar Doetinchem.'

'Wat moet ze daar?'

'Daar gaat ze wonen. De familie is vandaag verhuisd.' Op hetzelfde moment realiseert ze zich dat de andere Anne vergeten heeft om haar adres te geven. Hoe moet ze haar nu vinden in Doetinchem? Als de andere Anne niet meer naar Zeist toe komt, zal ze haar nooit meer zien. Verwoed veegt Anne de tranen weg die over haar wangen beginnen te lopen.

Haar moeder kijkt haar verbaasd aan. 'Komt ze dan niet meer terug?'

'Ik denk het niet.' Anne verwacht een vraag over het experiment dat nu niet door kan gaan, maar die komt niet.

'Dus je hebt afscheid van haar genomen,' zegt haar moeder alleen.

'Ja.'

'Dat moet moeilijk voor je zijn geweest.'

Anne knikt. Dan kan ze zich niet meer inhouden en begint te snikken. Opeens voelt ze een paar armen om zich heen.

'Ik begrijp dat je haar mist,' zegt haar moeder zacht, 'maar misschien is het beter zo.'